DIS-MOI, BLAISE

Léger, Chagall, Picasso et Blaise Cendrars

27 JUIN - 12 OCTOBRE 2009

MUSÉE NATIONAL FERNAND LÉGER, BIOT

MUSÉE NATIONAL MARC CHAGALL, NICE

MUSÉE NATIONAL PABLO PICASSO, LA GUERRE ET LA PAIX, VALLAURIS

Cette exposition est organisée par la Réunion des musées nationaux, Paris, et les musées nationaux du XXe siècle des Alpes-Maritimes.

Ces derniers s'associent pour remercier vivement la Ville de Vallauris pour sa collaboration à la réussite de ce projet.

Coordination et organisation générale de l'exposition à la Réunion des musées nationaux :

Conservateur, adjoint de l'administrateur général
Emmanuelle Héran

Directeur du développement culturel
Jean-Marie Sani

Chef du département des expositions
Marion Mangon

Chef de projet
Anne Fréling

Coordinatrice du mouvement des œuvres
Sylvia Linard

Directrice de la communication,
des relations publiques et du mécénat
Pascale Sillard

La muséographie des expositions a été conçue par Yves Kneusé, architecte d.p.l.g., Paris, et la signalétique par Grégoire Gardette, GG Designers, Nice.

En couverture : Blaise Cendrars (1887-1961), écrivain français.
© Roger-Viollet

ISBN : 978-2-7118-5628-2

Commissaires
Maurice Fréchuret
Conservateur en chef du Patrimoine, directeur des musées nationaux du XXe siècle des Alpes-Maritimes

Nelly Maillard
Chargée des collections au Musée national Fernand Léger, Biot

Élisabeth Pacoud-Rème
Chargée des collections au Musée national Marc Chagall, Nice

Ce projet n'aurait pu voir le jour sans la très grande générosité de Meret et Bella Meyer, qu'elles trouvent ici l'expression de notre plus vive gratitude.

Notre profonde reconnaissance va également aux collectionneurs et galeries qui ont permis sa réalisation par leur généreuse participation, et tout particulièrement :

Claude Bernés, Paris
Iveta et Tanaz Manaskerov
La galerie Louis Carré, Paris
La galerie Louise Leiris, Paris

ainsi qu'à ceux qui ont souhaité conserver l'anonymat.

Nous exprimons aussi nos sincères remerciements aux responsables des collections publiques qui l'ont soutenu par des prêts généreux :

France
Grenoble, musée de Grenoble
Lodève, musée de Lodève
Paris, Bibliothèque Kandinsky
Centre national d'art et de culture Georges Pompidou, Musée national d'art moderne
Musée d'Art et d'Histoire du Judaïsme
Musée national Picasso
Saint-Denis, musée d'Art et d'Histoire
Strasbourg, musée d'Art moderne et contemporain
Villeneuve-d'Ascq, musée d'Art moderne de Lille-Métropole

Suisse
Bâle, Fondation Beyeler
Berne, Bibliothèque nationale suisse

Les musées nationaux du XXe siècle des Alpes-Maritimes témoignent leur reconnaissance aux personnes dont le concours a été précieux pour les recherches et la mise en œuvre de l'exposition en fournissant des informations et des documents utiles :

Mme Simone Bauquier ; M. Claude Bernès ; Mme Sylvie Buisson, conservatrice du musée du Montparnasse, Paris ; Mme Sabine Coron, directrice de la Bibliothèque littéraire Jacques Doucet, Paris ; M. Antoine Coron, directeur de la Réserve des livres rares, Bibliothèque nationale François Mitterrand, Paris ; Mme Myrtille Girard, Comité Marc Chagall, Paris ; Mme Marie-Thérèse Lathion, conservateur du Fonds Blaise Cendrars de la Bibliothèque nationale suisse, Berne ; M. Pepino, galerie Gmurzynska, Zurich ; M. Jacques Ranc et M. Valette, Sotheby's Londres.

Les personnels de la direction des musées nationaux du XXe siècle des Alpes-Maritimes ont contribué à la mise en place de cette exposition. Qu'ils en soient tous vivement remerciés.

Marie Vassilieff, *Le Banquet de Braque (le 14 janvier 1917)*,
1929, technique mixte sur carton, collection Claude Bernès, Paris (cat. 38)

Banquet donné en l'honneur du retour de convalescence de Braque. Étaient présents autour de la table : Marie Vassilieff avec le couteau, Matisse tenant la dinde, Cendrars avec son bras coupé, Picasso, Marcelle Braque, Walther Halvorsen, Fernand Léger avec sa casquette, Max Jacob, Béatrice Hastings, son amant Alfredo Pina, Braque couronné de lauriers, Juan Gris et un inconnu. Modigliani fait irruption, avec ses modèles restés à la porte.

Maurice Fréchuret

DIS, BLAISE, SOMMES-NOUS BIEN LOIN DE MONTMARTRE... ET DE MONTPARNASSE ?

« Il dort. Il est éveillé. Tout à coup, il peint. Il prend une église et peint avec une église. Il prend une vache et peint avec une vache. » Ce bref extrait du quatrième des *Dix-neuf poèmes élastiques* de Blaise Cendrars, dédié à son ami Marc Chagall, exprime au mieux la fascination qu'exerce l'univers de l'artiste sur le poète, mais aussi l'insolente liberté dont ce dernier crédite l'œuvre du peintre, qui, comme il en fait le constat admiratif, donne libre cours à l'imagination créatrice. La prose généreuse de Cendrars se laisse alors emporter par l'avalanche des images et se risque à une description aussi incisive que dense :

« Quand les grues gigantesques des éclairs vident les péniches du ciel
À grand fracas et déversent des bananes de tonnerre
Il en tombe
Pêle-mêle
Des cosaques le Christ un soleil en décomposition
Des toits
Des somnambules des chèvres
Un lycanthrope
Pétrus Borel
La folie d'hiver
Un génie fendu comme la pêche
Lautréamont
Chagall » (« Atelier », 4e poème des *dix-neuf poèmes élastiques*, 1919.)

Véritable tohu-bohu de mots et de références où cohabitent choses et animaux, poètes et autres personnages, l'élasticité de l'écriture de Cendrars est à son comble. La dilatation des mots qu'aucune ponctuation ne vient contraindre répond à la libre circulation des hommes, des bêtes et des objets qui constellent les tableaux de Chagall. L'univers complexe de l'artiste où les différents éléments trouvent à fusionner, en dépit de leur incompatibilité structurelle, s'accorde remarquablement bien à celui de l'écrivain, qui, de la même manière, rassemble dans ses textes ce qui d'habitude se disperse, tente des associations dont l'invraisemblance tisse avec la réalité des liens d'harmonie réelle. Une des plus célèbres toiles de Chagall, *Hommage à Apollinaire*, réalisée après que le peintre eut reçu la visite enthousiaste de l'auteur d'*Alcools*, rend bien compte de cette propension fusionnelle : les deux corps d'Ève et d'Adam sont reliés l'un à l'autre et, avant leur séparation, se présentent comme une seule et même entité. Cette œuvre témoigne aussi, bien que de manière plus anecdotique, du lien de l'artiste avec ses nouveaux amis : Apollinaire, bien sûr, mais aussi Herwarth Walden, Ricciotto Canudo et Blaise Cendrars, dont les noms apparaissent dans la partie inférieure gauche, entourant une forme carrée surmontée d'un cœur traversé par une flèche. Nous pourrions aisément, pour ajouter à notre démonstration, retenir d'autres toiles comme *Moi et le village* de 1911-1912, *À la Russie, aux ânes et aux autres*, *Le Saint Voiturier*, *Dédié à ma fiancée* de 1911, toutes du reste titrées par Cendrars.

La fenêtre par laquelle le regard de Cendrars se tourne quand il lit ses poèmes dans l'atelier de l'artiste est celle-là même qui s'offre comme une source magnifique d'inspiration, mais aussi comme un cadre sur lequel vient se superposer celui de la toile. Viennent s'y inscrire tous les éléments cités, lesquels forment un monde particulier dont la force poétique a su véritablement séduire l'écrivain.

C'est paradoxalement un autre monde – celui de la modernité urbaine, des couleurs franches et vibrantes, des formes volontaires et tendues dont les villes commencent à se parer en ce début de siècle – que Blaise Cendrars aime à dépeindre dans ses poèmes et que son ami Fernand Léger introduit massivement dans ses tableaux. Le monde de légende de Chagall a retenu l'attention du poète, lui a fait revivre l'enchantement d'une culture partagée, mais la force des contrastes formels, des pans colorés de la cité moderne, des lumières multicolores qui embrasent cette dernière, de la vélocité fiévreuse qui s'empare de toute chose, restent les référents majeurs de la poétique cendrarsienne. La beauté convulsive des rues et des passages, bientôt chantée par les tenants du surréalisme littéraire, trouve place dans les textes de Cendrars comme dans les toiles de Léger. L'appropriation est plus directe et plus franche, et la quête de l'étrange n'y est pas prépondérante. Les signes tangibles de l'urbanité y sont révélés tels quels, dans leur plasticité première et leur réalité d'objets visuels : « De mon huitième étage, je dominais une belle perspective de toits, Londres s'étendait à perte de vue, des damiers noirs liserés de blanc

[...]. Le port de Londres ! Comment en donner une idée ? Ce que je regrettais de ne pas être peintre ! » Il est évidemment loisible de vérifier la proximité de regard avec le peintre des remorqueurs et des échafaudages, des signaux et des voies ferrées. Les deux hommes sont, de toute évidence, des citadins qui revendiquent clairement leur appartenance à la ville, de sa banlieue aussi bien, dont les tumultueux contrastes, l'incursion de nouvelles formes, les lumières éclatantes des enseignes créent un univers qu'ils sauront, chacun dans leur registre d'expression, magistralement interpréter. Ils sauront aussi se montrer attentifs à ceux qui vivent dans ce décor tous les jours plus engagé dans un processus le transformant inexorablement. D'est en ouest, du nord au sud, la banlieue parisienne est passée au peigne fin des regards et – objets d'une description appliquée ou, au contraire, d'un traitement plus synthétique –, ce qui la compose apparaît dans les récits de l'écrivain et les toiles du peintre, comme, au même moment, dans les clichés de leur ami commun, Robert Doisneau.

Parmi les artistes que Blaise Cendrars va connaître durant ses premières années parisiennes, nombreux sont ceux qui appartiennent à la mouvance cubiste. Ce sont, nous l'avons vu, son ami fidèle Fernand Léger, mais aussi Robert et Sonia Delaunay, qui entretinrent avec l'écrivain des liens privilégiés, Georges Braque, Léopold Survage, Alexander Archipenko, Joseph Czaky, Franz Kupka, dont il vit des toiles à la galerie Bernheim avant de le retrouver dans l'infernal univers des tranchées. D'autres encore, du même cercle, feront partie de son entourage avant qu'il ne s'éloigne lui-même du cubisme, dont il annonce péremptoirement l'effritement dans le numéro de mai 1919 de sa revue *La Rose rouge*. Pablo Picasso, dont il a fait la rencontre quelques années avant dans le sillage d'Apollinaire et de Gertrude Stein, n'est alors pas loin de faire sienne la remarque du poète et de reconnaître que « les formules cubistes ne suffisent plus ». Depuis plusieurs années déjà, l'artiste a pris ses distances avec ce qui est en passe de devenir alentour l'exercice appliqué d'une esthétique dès lors reconnue. L'œuvre de Picasso fascine le poète, non seulement par son indéniable virtuosité technique, mais aussi par la fougue qu'elle porte en elle. Sous sa plume, les mots qui apparaissent pour définir la peinture de l'artiste espagnol semblent se cogner les uns aux autres et définir un univers particulièrement contrasté : l'amour, la cruauté, l'élégance, l'occulte, l'orgueil, l'inquiétude... sont autant de vocables par lesquels Cendrars caractérise l'œuvre de celui qu'il nomme « premier peintre libéré » et qu'il qualifie de « peintre du vrai ». Le poète, qui se définit comme « un homme inquiet, dur vis-à-vis de soi-même, comme tous les solitaires », a vite repéré le même trait de caractère chez Picasso (« Je ne connais pas de tempérament plus tourmenté, d'esprit plus inquiet »). Peut-être est-ce cela qui a amené Cendrars à se lier d'amitié avec Picasso, tant il est vrai que cette inquiétude et cette exigence sont à l'œuvre dans leur art respectif. Elles ont sans nul doute présidé au renouvellement des formes plastiques et du langage poétique à l'avènement duquel l'un et l'autre, dans leur désir de rupture avec les lourdeurs de la tradition, ont largement contribué.

Le dialogue de Cendrars avec ses amis artistes n'aura pas été toujours constant. À certains moments, le poète a même clairement dit sa volonté de prendre ses distances, et désaccords et querelles ont peut-être permis de donner sens à cette décision. Il reste que les liens construits entre lui et les artistes – ceux dont il vient d'être fait mention et bien d'autres encore – ont contribué à affermir son regard, voire à donner à son écriture une dimension véritablement visuelle. Ses pérégrinations à Moscou ou Saint-Pétersbourg, à New York ou São Paulo, ses longues déambulations dans la banlieue parisienne ou londonienne, l'effroyable épisode des tranchées comme les paisibles résidences à Biarritz dans la villa de Mme Errázuriz, font tous l'objet de descriptions dans lesquelles le bourlingueur qu'il est tient une place prépondérante à l'exercice du regard et à son innovante transcription dans le domaine de l'écriture.

LÉGER

Léger au front à la Maison Forestière, 1915

Claude Leroy

L'ATELIER DU DOUBLE
CENDRARS ET LÉGER EN MIROIR

Fig. 1 Fernand Léger, gravure
dans *J'ai tué*, prose par M. Blaise Cendrars,
À la Belle Édition, chez François Bernouard,
achevé d'imprimer le 8 novembre 1918
Paris, Centre Georges Pompidou, Musée national d'Art moderne/Centre de création industrielle, Bibliothèque Kandinsky

Le 13 novembre 1918, Blaise Cendrars et Fernand Léger avaient pris place ensemble dans le cortège qui accompagnait leur ami Guillaume Apollinaire au Père-Lachaise. Trente-sept ans plus tard, c'est un poète aux yeux « soûls de douleur » que Vladimir Pozner retrouve aux obsèques du peintre : « La dernière fois que j'ai vu Blaise Cendrars, il ne m'a pas reconnu. Cela se passait à l'enterrement de Fernand Léger, au mois d'août 1955. Paris était vide d'hommes et plein de fleurs ; il y avait plus de fleurs que d'hommes au cimetière de Gif-sur-Yvette[1]. » La grande émotion de Cendrars, près de Nadia, la veuve de Léger, n'a pas surpris le romancier. Le poète n'était-il pas le plus proche ami du peintre ? On aurait dit qu'ils s'étaient toujours connus et qu'ils se quittaient pour la première fois. C'était vraiment la fin d'un monde.
Depuis longtemps, l'amitié de Léger et de Cendrars était devenue légendaire. Dans les années cinquante, elle se confond avec l'histoire de la modernité. La chose est entendue : Cendrars est le Léger de la poésie, et Léger le Cendrars de la peinture. Comment imaginer que ces compagnons inséparables aient jamais pu se perdre de vue ? Pour Léger, « toujours nous avons gardé le contact, et rien ne s'est usé et diminué de L'INTÉRÊT de ces rencontres. AU CONTRAIRE[2] ». Cendrars n'est pas en reste : « Depuis 1911, j'ai toujours été le copain de Léger, on s'est tout le temps vus[3]. » Leur forte amitié aura pourtant connu une longue éclipse au cours des années trente, mais ils se montreront discrets sur ce qui les a séparés.
Quand s'étaient-ils rencontrés ? C'était « au moment de ce qu'il est convenu d'appeler "l'époque héroïque" 1908 à 1912[4] ». Ils hésitent un peu sur la date précise, le lieu et les circonstances. À la Ruche ou rue de l'Ancienne-Comédie ? Miriam Cendrars tranche pour le vernissage du Salon de la Section d'or, à la galerie La Boétie, le 10 octobre 1912[5]. Mais ils s'accordent sur l'essentiel : à cette époque, ils se retrouvaient Aux Cinq Coins, le tabac du carrefour de Buci que Cendrars célèbre dans un de ses *Poèmes élastiques*. On y prenait l'apéro. On voyait défiler l'état-major du Mercure de France. C'est là, se souvient Cendrars, que Léger a peint la série des *Fumées sur les toits*. S'étaient-ils reconnus dès l'avant-guerre ? Pour Henri-François Rey, Cendrars se lance dans une envolée panoramique : « À cette époque, les peintres et les écrivains, c'était pareil. On vivait mélangés avec probablement les mêmes soucis ; on peut même dire que chaque écrivain avait son peintre. Moi, j'avais Delaunay et Léger, Picasso avait Max Jacob, Reverdy, Braque, et Apollinaire, tout le monde[6]. »

Fig. 2 Blaise Cendrars
« Construction », fac-similé du dernier des *Dix-neuf poèmes élastiques*, daté « février 1919 », reproduit dans Fernand Léger, *Les Constructeurs*, Paris, Éditions Falaize, 1951 (non paginé)

Fig. 3 Fernand Léger
Portrait de Blaise Cendrars, en frontispice de Blaise Cendrars, *J'ai tué*, Paris, Éditions Crès, 1919
Biot, Musée national Fernand Léger (cat. 44)

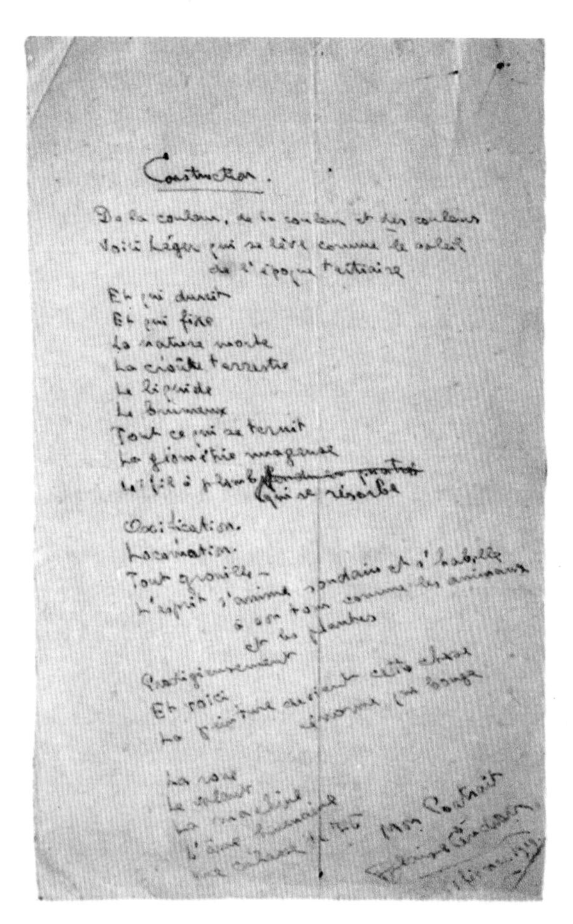

Construction.

De la couleur, de la couleur et des couleurs
Voici Léger qui se lève comme le soleil
de l'époque tertiaire
Et qui durcit
Et qui fixe
La nature morte
La croûte terrestre
Le liquide
Le brumeux
Tout ce qui se ternit
La géométrie
Le fil à plomb
qui se résorbe

Ossification.
Locomotion.
Tout grouille –
L'esprit s'anime soudain et s'habille
à son tour comme les animaux
et les plantes
Prodigieusement
Et voici
La peinture devient cette chose
énorme qui bouge

La roue
La machine
L'âme humaine
Une culasse de 75
Mon portrait
Blaise Cendrars

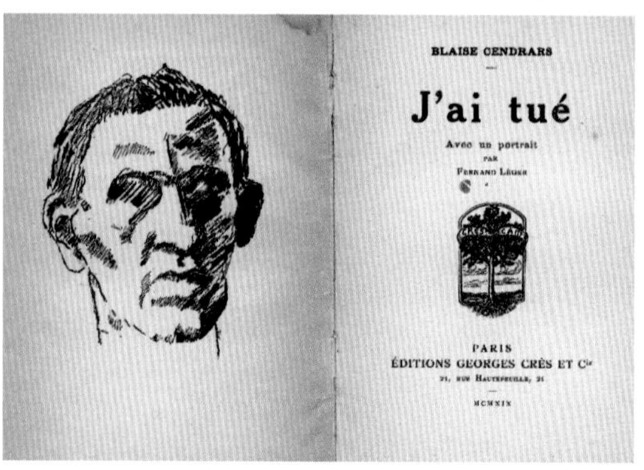

BLAISE CENDRARS

J'ai tué

Avec un portrait par Fernand Léger

PARIS
ÉDITIONS GEORGES CRÈS ET Cie
21, rue Hautefeuille, 21
MCMXIX

Ces rencontres autour de la Ruche donnent le ton de l'époque. Mais « instinctivement, précise Léger, ma camaraderie m'orienta plus vers Blaise. Communauté d'intérêt pour les événements de notre époque. Force d'expression. Lui dans son œuvre, et moi dans la couleur [7] ». Dans l'avant-guerre, on ne relève pourtant aucun projet de collaboration.
Quelques mois plus tôt, en juin 1912, un jeune poète suisse revenait d'Amérique où il avait dépouillé son identité reçue de Freddy Sauser pour un nom flambant neuf : Blaise Cendrars. De son séjour à New York, il rapporte un poème, ou plus vraisemblablement son ébauche, « Les Pâques », qui signe son entrée dans la poésie moderne. Passionné de peinture, il bourdonne autour de la Ruche et rencontre Apollinaire chez les Delaunay. « Ses » peintres sont alors Marc Chagall, avec lequel l'ancien apprenti bijoutier de Saint-Pétersbourg parle russe, Roger de La Fresnaye, et donc les Delaunay, Sonia, une autre Russe, qui illustre la *Prose du Transsibérien et de la petite Jeanne de France* en 1913, et Robert. Quant à Léger, il apparaît à peine dans les dix-huit premiers des *Dix-neuf poèmes élastiques* pourtant nés dans le compagnonnage des peintres. Ces poèmes écrits entre août 1913 et juillet 1914 rendent hommage aux artistes les plus proches de Cendrars. Dans l'atelier de Chagall, il y a juste « des photographies de Léger [8] », sans que l'on puisse décider s'il s'agit du peintre ou de ses tableaux.

C'est la Grande Guerre qui les a réunis. Sauser-Cendrars s'était engagé volontaire dans l'armée française. Reversé dans la Légion étrangère, il perd son bras droit en Champagne, le 28 septembre 1915. Pour le poète manchot comme pour le peintre gazé, l'expérience est irréversible. À sa façon abrupte, Léger s'en fait le témoin : « Notre camaraderie devint de l'amitié, après avoir enjambé la guerre de 14-18 qui nous permit de découvrir "le peuple de France" [9]. » À la découverte au front de cette fraternité d'armes, à la blessure qui n'a pas respecté leur corps, répond chez l'un et l'autre un bouleversement du regard qu'ils portaient sur le monde moderne [10]. Dans une lettre à Jean Epstein, en 1920, Cendrars précise en visionnaire le sens de cette « brisure nette » : « Il y a eu l'époque : tango, Ballets russes, cubisme, Mallarmé, bolchevisme intellectuel, insanité. Puis la guerre : un vide. Puis l'époque : construction, simultanisme, affirmation. Calicot : Rimbaud: changement de propriétaire. Affiches. La façade des maisons mangées par les lettres. La rue enjambée par le mot. La machine moderne dont l'homme [ne] sait se passer. Bolchevisme en action. Monde [11]. »

Fig. 4 Fernand Léger
Portrait de Blaise Cendrars (s. d.), dans Georges Bauquier, *Fernand Léger. Vivre dans le vrai*, Maeght, 1987, p. 90
Avec en bas à gauche, l'inscription :
« Rimbaud c'est le jeune/ homme qui a balancé la/ vie »
Collection particulière

Fig. 5 Fernand Léger
Illustration du chapitre deuxième, « Le Barnum des religions », bon à tirer de *La Fin du monde filmée par l'ange Notre-Dame*, Éditions de La Sirène
Biot, Musée national Fernand Léger (cat. 51)

Léger aurait pu signer ce manifeste au style télégraphique qui fait comprendre l'importance qu'a prise leur rencontre aux yeux de Cendrars. Ils se connaissaient, voici qu'ils se reconnaissent, ainsi que le marque « Construction » (fig. 2), le seul des *Dix-neuf poèmes élastiques* écrit après-guerre. Ce vibrant éloge de Léger « qui grandit comme le soleil de l'époque tertiaire [12] » scelle une amitié entre deux créateurs décidés à inventer le langage qu'attend la génération « retour de front ». Le titre du poème sonne tel un mot d'ordre.

Entre 1918 et 1924, leur amitié entre dans la légende. Pendant ces années de création intense, Cendrars devient le poète de Léger, et Léger son peintre. « On se baladait beaucoup dans Paris ; on se donnait des rendez-vous dans les coins les plus différents, souvent place Clichy [13]. » Il y avait là les plus grandes affiches de Paris : un grand Bébé Cadum et un Nègre.

C'est au cours de ces déambulations, rappelle Cendrars, qu'est née *La Ville* [14]. Non seulement ils collaborent, mais toutes leurs entreprises ont fait date. Léger illustre trois livres du poète : *J'ai tué* [15], avec cinq dessins de guerre (fig. 1) ; *La Fin du monde filmée par l'ange Notre-Dame* [16], avec des compositions qui en font un livre mythique (fig. 5) ; et une nouvelle édition de *J'ai tué* (Crès, 1919), avec un portrait de l'auteur en frontispice (fig. 3). En plus de « Construction », daté de février 1919, Cendrars le célèbre dans l'une des « Modernités [17] » qu'il rédige pour *La Rose rouge*, une revue éphémère où il tient la critique d'art. Avec les Ballets suédois de Rolf de Maré, ils travaillent à *La Création du monde* [18], dont la première a lieu le 25 octobre 1923, au Théâtre des Champs-Élysées. Cendrars a tiré l'argument de son *Anthologie nègre* (1921), cependant que Léger s'est chargé des décors et des costumes, et Darius Milhaud de la musique. Tous deux participent à *La Roue* d'Abel Gance (commencée en 1921), le poète comme assistant, le peintre pour les affiches du film. À l'inventaire ne manque même pas un de ces livres fantômes dont Cendrars s'est fait une bibliothèque. *L'Effort moderne* de Léonce Rosenberg annonce, en 1920, un « album en couleurs », *Le Cirque*, composé de vingt planches de Léger et de vingt poèmes de Cendrars [19]. Hélas, il ne paraîtra jamais.

Leur dialogue de créateurs touche alors à l'osmose. De même qu'il est arrivé à Cendrars de peindre (quand il s'était cassé une jambe) et surtout de dessiner (même après son amputation), Léger est un peintre qui écrit. Cendrars n'y fait pourtant pas la moindre allusion.

Cette façon de passer sous silence les écrits (ou l'écriture ?) de Léger surprend d'autant plus que ces textes – comme *Fonctions de la peinture* [20] – montrent une remarquable communauté de préoccupations avec ceux du poète. Avec une vigueur répétitive, ils manifestent les mêmes partis pris d'un art de modernité. Ce parti pris de modernité est peut-être moins celui du moderne que celui de Baudelaire, et les principes énoncés par Léger comme par Cendrars se situent dans la tradition baudelairienne, par l'établissement d'un dictionnaire aussi bien que par l'élaboration d'une syntaxe ou la mise en jeu d'une mythologie du moderne. Commun dictionnaire, en effet, où ils puisent l'élément mécanique, géométrique, fonctionnel, ainsi que l'élément urbain, qui fournit à la fois le décor privilégié, le modèle et le miroir du pouvoir transformateur de l'art de modernité. Même célébration de la rue, de la machine, de la publicité, de l'affiche, de la couleur. Même exaltation d'une modernité saisie dans ses valeurs d'intensité, d'utilité, de profondeur. Même refus du « réalisme d'imitation » au profit d'une rhétorique de « mise au point » fondée sur un usage du contraste et du gros plan emprunté au cinéma. Même mythologie du moderne où l'artiste se voit proposer l'ingénieur, l'artisan, l'étalagiste comme *alter ego*. À cette convergence de thèmes et de programmes s'ajoutent des parentés d'écriture, surtout dans la confection des formules, au point que, par fragments, certains de leurs écrits paraissent interchangeables. Toutes proportions gardées, on songe à certains jeux de cache-cache entre les toiles cubistes de Braque et de Picasso.

Cependant, au moment de la plus grande proximité d'écriture, ce qui écarte soudain Léger de Cendrars, c'est leur rapport au réel. S'ils associent tous deux leur désir de modernité au rejet d'un art de compte rendu, le réalisme second, médiatisé, de Léger s'oppose à l'écriture de Cendrars, caractérisée par une fuite hémorragique du réel. L'ambition du poète n'est pas d'élaborer un équivalent de l'objet industriel moderne ou de mettre en circulation les figures esthétiques médiatrices qui établiront entre l'homme et le monde une intelligence nouvelle. Pour Cendrars, le réel n'existe pas. Il n'est rien d'autre qu'un partage entre le moi et le non-moi – partage précaire, menacé, dépourvu de garanties objectives. Ce que l'on nomme le réel, à des fins d'exorcisme, n'est pour lui qu'une ligne de démarcation fragile entre l'invasion du moi par le non-moi, et l'expansion du moi dans le non-moi. Tour à tour poreux et barricadé, le moi cendrarsien est pris entre les impulsions contraires de la diastole et de la systole. Ainsi le réel n'est-il pas à dire, à imiter ou à transformer : il est sans cesse à instaurer. Loin d'être réaliste, l'écriture est créatrice de réel, et c'est pourquoi le poète « du monde entier » place son œuvre sous le signe de l'irréalisme.

C'est peut-être ici que le silence de Cendrars sur les écrits de son ami prend sa perspective. En établissant entre leurs textes une relation de collage indécidable, il révoque toute enquête sur l'origine ou sur la filiation. N'est-ce pas lui qui signe parfois sous le pseudonyme de Léger ? Afin de canaliser l'angoisse que provoque en lui un univers gouverné par le double – surtout dans l'amour et l'amitié –, Cendrars emprunte un procédé de peintre : l'anamorphose. Dans l'atelier du poète, le peintre apparaît ainsi comme un double en puissance, traité en anamorphose par son ami. Léger tel qu'en Cendrars est bien un peintre célèbre, reconnaissable à ses attributs. Mais il suffit de déplacer le point de vue pour que Léger devienne réversible à Cendrars sans cesser pour autant d'être Léger.

Sur cette période d'échanges parfois quotidiens, on dispose d'un témoignage pris sur le vif. Robert Guiette, un jeune poète belge qui fera carrière de médiéviste à l'université, s'est rendu à Paris en janvier 1922 pour y rencontrer Cendrars. Les notes qu'il prend au cours de ce séjour ont été réunies après sa mort sous le titre *Monsieur Cendrars n'est jamais là* [21], et ce document unique permet d'assister pendant quelques jours à la vie quotidienne des deux amis. À peine Guiette l'a-t-il prévenu de son arrivée que Cendrars vient le chercher à son hôtel pour l'emmener dans l'atelier de Léger, rue Notre-Dame-des-Champs. Guiette y admire un énorme tableau, « le portrait de Cendrars en couleurs fortes comme les illustrations du film de la fin du monde » – un portrait, estime-t-il, qui a inspiré « Construction ». (S'agit-il de celui qu'a reproduit Georges Bauquier dans *Fernand Léger. Vivre dans le vrai* [22] ? [fig. 4] Sans doute pas). À Paris, Guiette ne quitte plus Cendrars qui ne quitte guère Léger. Le poète mène le jeu, à grand train, en conteur infatigable, courant de projet en projet. Mais il déteste parler littérature ! Avec Léger, il prépare un ballet nègre pour les Suédois sur une musique de Stravinsky : « Quelque chose de frénétique ! » (Milhaud sera finalement chargé de la musique). Aux yeux du chroniqueur éberlué, Cendrars n'est « pas très distingué, ni très réservé, mais on voudrait noter tout ce qu'il dit ». Il va s'enfermer vingt jours pour rédiger un roman tout cuit. Un poème-réclame qu'il vient d'écrire doit être affiché sur un gratte-ciel. En Éthiopie, il va tourner *La Nouvelle Reine de Saba*, inspirée de la Bible. À l'égard de

Léger, le poète se montre malicieux : « On devrait ne le voir qu'une fois tous les cinq ans, tant il travaille lentement. » Mais voici que le peintre revient d'une exposition de machines agricoles qui l'a enthousiasmé : couleurs vives, courbes, plans et volumes, les sculpteurs n'ont plus rien à inventer. Et toujours 14-18 en filigrane de cette frénésie : « Vois-tu, dit Léger, les jeunes vivent sur un autre plan que nous : ça n'a pas eu la guerre. »

Novembre 1926 marque un tournant dans les relations du poète avec le monde de la peinture. Il rejette les amateurs, les collectionneurs, les marchands de tableaux qui spéculent sur la peinture et les peintres eux-mêmes qu'il juge incapables de comprendre Rimbaud ou Mallarmé. Pour ne rien dire des poètes plus contemporains… Si son amitié pour Léger demeure inchangée, ils cessent de collaborer. Avant de « prendre congé des peintres [23] », Cendrars s'est pris de passion pour le cinéma, puis s'est éloigné de Paris pour découvrir le Brésil, son « Utopialand », y rêver d'affaires mirifiques et, avec *L'Or* en 1925, puis *Moravagine* l'année suivante, se tourner vers le roman, mais désormais sans illustrateurs. Pour lui, l'époque est révolue des livres d'artiste à tirage limité chez des éditeurs confidentiels (Les Hommes nouveaux, À la Belle Édition, La Sirène) : il entre chez Grasset, un éditeur de grande diffusion.
Ce désenchantement l'entraîne parfois à des correctifs savoureux. Dans le *pro domo* qu'il ajoute à *Moravagine* en 1956 pour retracer l'histoire de ce livre, il évoque un projet de grand roman en dix-huit volumes, *Le Roi des Airs*, conçu sous l'influence de Fantômas. C'était en 1914 et il en a égaré mille huit cents pages dans un hôtel des environs de la gare de Lyon. Quant au tome VIII, il l'avait vendu à un éditeur de Munich qui ne l'a pas publié. Il en résume ainsi la trame : « Dans *L'Europe sans tête*, il ne s'agissait pas moins que de l'enlèvement et du séquestre par un gang d'aviateurs ou même de l'assassinat des jeunes peintres (Picasso, Braque, Léger), des jeunes musiciens (Satie, Stravinsky, Ravel), des jeunes poètes parisiens (Apollinaire, Max Jacob, moi) [24]. » L'avenir intellectuel de l'Europe, donc du monde, aurait été abandonné « à la tutelle des journalistes, des politiciens, des pseudo-artistes et de la police allemande ». Le roman perdu (s'il a jamais été écrit) présente l'extermination des artistes comme la menace d'une fin du monde, mais cette extermination deviendra l'enjeu salutaire des aventures de Dan Yack, en 1929. Ce milliardaire anglais qui ne lit aucun livre entraîne avec lui, pour une hibernation initiatique au pôle Sud, un poète, un musicien et un sculpteur. Faute de pouvoir vivre de leur art, aucun d'eux ne reviendra, au contraire de Dan Yack attaché au seul art de vivre. Parmi les artistes sacrifiés ne figure aucun représentant de la peinture. À quoi bon la congédier une seconde fois ?
Cendrars n'a jamais posé au critique d'art. Ses textes si souvent repris sur Léger – celui de *La Rose rouge* et « Construction » – sont moins soucieux d'exégèse que d'une recherche de correspondances entre leurs pratiques. S'y devine une analogie selon laquelle Léger serait à la peinture moderne ce que Cendrars se suppose à la poésie – de toute évidence, le contemporain capital. Belle relation de chiasme euphorique entre deux amis ! Cette complicité de doubles transparaît dans la suite de huit « Modernités [25] » publiées en 1919 – année cruciale décidément dans leurs relations –, et particulièrement dans la vision du cubisme et l'annonce d'un règne de la couleur « toute neuve » où se devine l'influence du peintre. Dans l'imaginaire de Cendrars, il est heureux que « le cube s'effrite » parce que le cubisme est une affaire de nombre. Au singulier, le cubisme, suspect d'arrogance, manifeste une volonté d'emprise par la discipline, l'école ou la théorie. Sous le masque de l'avant-garde, c'est la loi qui montre le bout du nez. Dans la scénographie du cubisme que tracent ces articles, l'emploi de l'inquisiteur est dévolu à Braque, Grand Arnauld d'un nouveau jansénisme dont Picasso serait « le Pascal fiévreux et souvent plaintif ». Mais au pluriel, les cubismes recouvrent leur vertu d'aventure : effrités, les voici rendus à leur vérité première de démembrement, d'iconoclastie. Ceux que le poète fait siens parmi les cubistes, c'est Delaunay et c'est Léger que lui désigne un rapport marginal au groupe. Quant à lui, qui se soucie peu d'histoire littéraire, il ne récuse même pas l'étiquette de « cubisme littéraire » que certains (Frédéric Lefèvre, Radiguet et même le jeune Malraux) apposent sur sa poésie. Le mot « avant-garde » n'appartient pas au lexique de Cendrars, qui préfère parler de modernité, et l'idée qu'il s'en fait est en incompatibilité d'humeur avec le travail en groupe. Pour lui, un créateur est nécessairement solitaire. Il est bon que le cube s'effrite, mais non au profit d'un « nouvel isme » : « Nous aurons enfin de la peinture, de la peinture personnelle, de la peinture à tempérament, et non plus de la peinture théorique, collective, personnelle [26]. » Congé donné à la peinture, cette profession de foi restera celle du poète. Jusqu'au milieu des années trente s'étend une zone incertaine où l'amitié de Cendrars et Léger s'est coupée de leur activité créatrice. Commence ensuite une période d'éloignement, qui, sans prendre

un tour public, cache une brouille, d'après les confidences du poète à Pierre Seghers vers 1947 : « C'est bête. J'aimais beaucoup Fernand, j'ai même écrit un poème pour lui, mais nous nous sommes fâchés il y a quinze ou vingt ans pour une affaire idiote. Il est têtu, moi aussi, et on ne s'est plus vus [27]... » L'éditeur saisit la balle au bond : accepterait-il de le revoir quand même ? « Si ça vient de lui, seulement. » Même réaction chez Léger. Aucun des deux ne voulant perdre la face, Seghers se montra diplomate et les réunit à La Closerie des lilas pour un déjeuner de l'amitié retrouvée, probablement vers 1948. Mais les motifs de la fâcherie restent obscurs. Selon toute vraisemblance, des divergences d'ordre politique n'y sont pas étrangères.

Léger ne s'est inscrit au parti communiste français qu'en 1945, mais dès les années trente, c'est un artiste engagé à gauche, tandis que Cendrars manifeste en privé de nettes réticences à l'égard du Front populaire. Alors que Robert Guiette notait l'intérêt du poète pour le communisme, ses sympathies se portent désormais vers la droite. Pour autant, elles n'engagent pas la plume du grand reporter qu'il est devenu. Dans les papiers qu'il donne à *Paris-soir*, au *Jour* ou à *L'Excelsior*, ses préférences personnelles ne transparaissent pas. On ne mélange pas les genres. Dans les années cinquante, Cendrars enfoncera le même clou : « Un créateur ne prend pas la queue d'un mouvement. Ni la tête. Il est en dehors ou à contre-courant [28]... » Pas plus que l'adhésion de Léger au parti communiste, il ne comprendra l'intérêt que le peintre, sous l'influence du père Couturier, manifeste pour l'esthétique de l'art religieux : « La politique, la religion se servaient de lui. Il n'en avait pas besoin. Il n'avait rien à y gagner. Un artiste est libre. » Pas de cube aux yeux de Cendrars qui ne doive s'effriter.

À la déclaration de la « drôle de guerre », les deux amis se sont perdus de vue. La géographie va aggraver la distance qui les sépare. En 1940, Léger s'est s'embarqué pour les États-Unis, d'où il ne reviendra en France qu'en décembre 1945. De son côté, Cendrars n'a pas regagné la capitale après la débâcle qu'il a vécue comme correspondant de guerre chez l'armée anglaise. Installé à Aix-en-Provence, puis à Villefranche-sur-Mer, il ne retournera à Paris qu'en 1950, après avoir achevé les quatre volumes de ses *Mémoires*. Alors que les relations du peintre et du poète se sont interrompues, elles vont connaître un cours littéraire inattendu. Après trois ans « dans le silence de la nuit », Cendrars s'est remis à sa machine à écrire, le 21 août 1943. Dans *L'Homme foudroyé* qui renoue avec une ambition littéraire diluée dans le journalisme, Cendrars fait de Léger un personnage des « Rhapsodies gitanes », troisième et dernière partie du volume. Une scène située en 1923 donne du peintre un portrait plutôt rosse. Léger se montre curieux de découvrir le monde des gitans, que le poète connaît bien. Par une inspiration malencontreuse, il revient seul dans la banlieue Sud afin de faire des croquis incognito, mais se déguise si mal qu'il est pris pour un policier en civil. Et voici l'armoire normande piteusement bastonnée par des gitanes, les trois Marie. Sawo, leur frère, raconte cette déconfiture à Cendrars, qu'il a connu à la Légion : « Marie-Mence lui a chipé son chapeau. C'est classique. Le zigue se jeta à sa poursuite. La Marie-le-Mordu lui fit alors un croc-en-jambe et Marie-la-Cligne s'est jetée sur lui une fois qu'il était par terre [29]. » La conclusion est rude pour le fils de « toucheur de bœufs » qu'était Léger : « Il faut croire qu'il n'était pas bien dégourdi. Encore un fils à papa, ton ami, non ? » Avant de faire paraître son livre, Cendrars s'inquiète des réactions possibles de Léger devant un récit qui le tourne en dérision, comme de celles de Charles-Albert Cingria dont il brocarde la vie privée. Un procès serait-il à craindre ? D'Aix, il s'en ouvre à Jacques-Henry Lévesque, son confident resté à Paris : « Je compte bien sur la vanité et la trouille bien connues des bourriques et des pédés pour ne rien changer ; ils ne piperont mot. Je cours le risque [30]. » Avec Cingria, la rupture sera violente, mais la « bourrique » qui n'était pas dépourvue d'humour ne semble pas avoir pris la mouche. Se voir traiter comme un Charlot, était-ce si déplaisant, après tout, pour celui qui rêvait de tourner un « Charlot cubiste [31] » ?

La dernière période de leur amitié renoue avec les années fécondes de 1918 à 1924. Ils se posent dorénavant en témoins l'un de l'autre. Avec la patine du temps, pareillement burinés et goguenards, ils ont pris sur les photos un air de famille : Blaise Léger et Fernand Cendrars se font le miroir l'un de l'autre. Gommant toute trace de brouille, ils placent leur amitié sous une lumière légendaire. Multipliant les signes de complicité au fil des interviews, ils se citent volontiers. Et ils mettent en chantier deux projets [32], qui seront tous deux bouleversés par la mort du peintre.

À la fin de 1954, Louis Carré organise au 10 de l'avenue de Messine une exposition sur « Le Paysage dans l'œuvre de Léger ». En vue du catalogue, il réunit le poète et le peintre pour un entretien à trois enregistré au magnétophone. L'exposition se tient comme prévu

Fig. 6 Blaise Cendrars
« Post-Scriptum », texte en fac-similé, daté du 1er novembre 1955,
placé en ouverture du catalogue *Le Paysage dans l'œuvre de Léger*,
Paris, Louis Carré, 1956 (exposition à la galerie Louis Carré du 19 novembre
au 31 décembre 1954)
Biot, Musée national Fernand Léger (cat. 79)

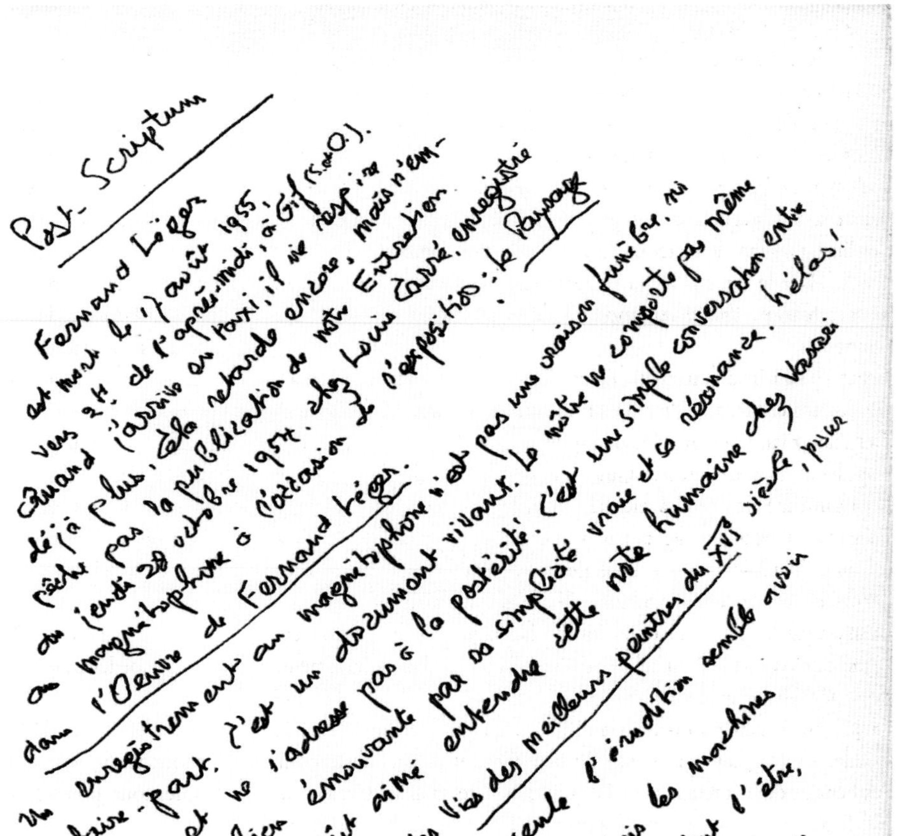

Post-Scriptum

Fernand Léger est mort le 17 août 1955, vers 2 h. de l'après-midi, à Gif (S.-et-O.). Quand j'arrivai en taxi, il ne respirait déjà plus. Cela retarde encore, mais n'empêche pas la publication de notre Entretien du jeudi 28 octobre 1954, chez Louis Carré, enregistré au magnétophone à l'occasion de l'exposition : Le Paysage dans l'Œuvre de Fernand Léger.

Un enregistrement au magnétophone n'est pas une oraison funèbre, ni un faire-part. C'est un document vivant. Le nôtre ne comporte pas même un message et ne s'adresse pas à la postérité. C'est une simple conversation entre amis, mais combien émouvante par sa simplicité vraie et sa résonance, hélas ! déjà posthume. On eût aimé entendre cette note humaine chez Vasari dans son précieux recueil des Vies des meilleurs peintres du XVIe siècle, pour nous, si souvent pontifiant et dont seule l'érudition semble avoir fait école dans la critique d'art moderne... Mais les machines modernes s'emparent de l'homme, de tout l'être, et grâce à elles, Léger est tout proche..

Blaise Cendrars

1er nov. 1955.

Fig. 7 Blaise Cendrars
J'ai vu mourir Fernand Léger, corrections autographes
sur le projet dactylographié de la page de titre de *La Ville*
Berne, Bibliothèque nationale suisse, Fonds Blaise Cendrars (cat. 82)

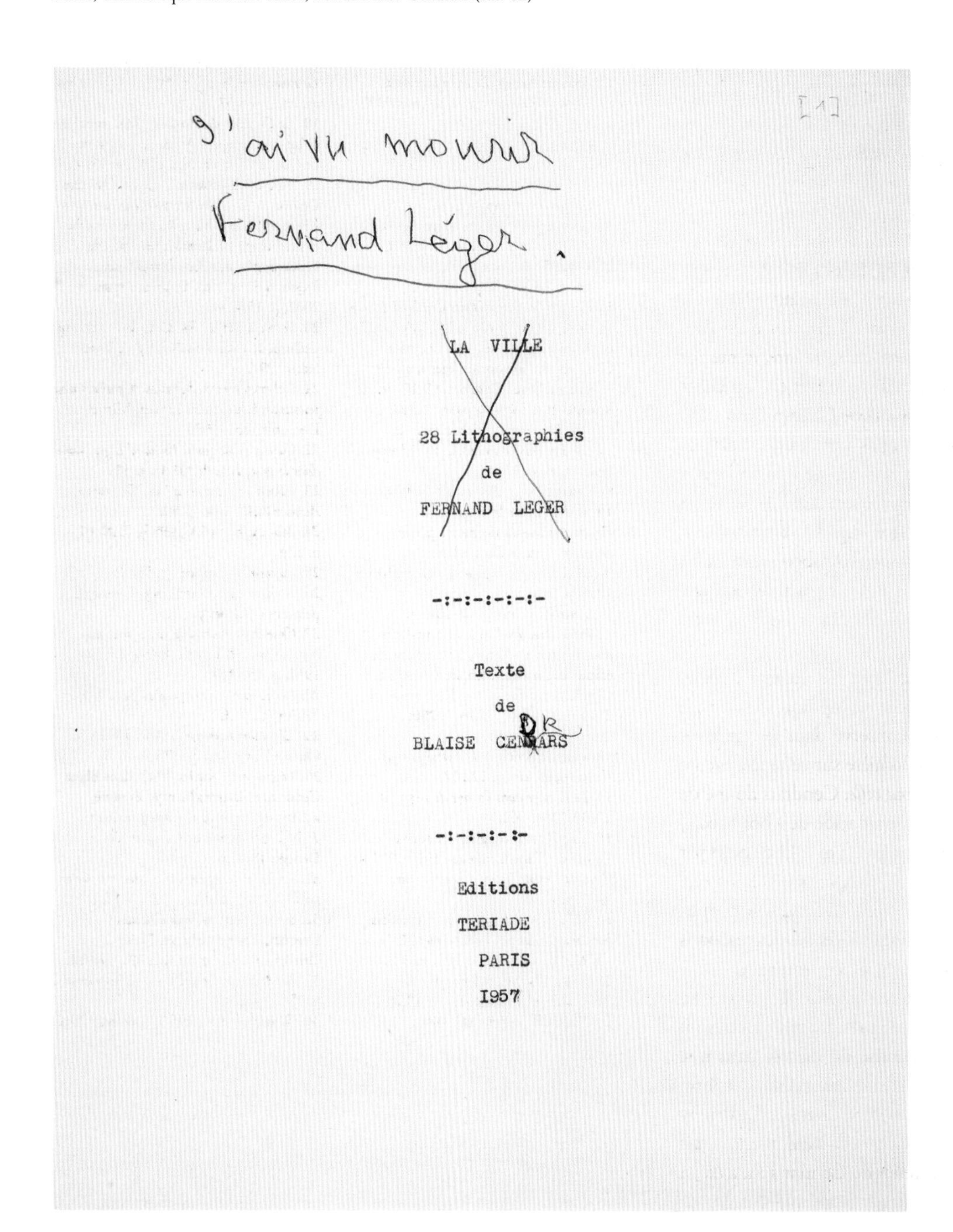

[1]

J'ai vu mourir
Fernand Léger.

~~LA VILLE~~

~~28 Lithographies~~
~~de~~
~~FERNAND LEGER~~

-:-:-:-:-:-

Texte
de
BLAISE CENDRARS

-:-:-:-:-

Editions
TERIADE
PARIS
1957

du 19 novembre au 31 décembre 1954, mais, pour des raisons obscures, sans catalogue : il ne sera imprimé qu'en 1956, après la manifestation, et même après la mort de Léger – et il ne sera jamais mis en vente. Ce très beau « catalogue » intempestif est aussi rare que recherché. Au cours de leur échange, une étude chronologique des paysages du peintre permet à Léger et Cendrars de manifester leur complicité d'artistes, tout en retraçant en contrepoint l'histoire de leur amitié, avec des blancs discrets. À sa parution, Cendrars fera précéder l'entretien d'un « Post-Scriptum » à la mémoire du peintre [33] (fig. 6). Vers 1952, Tériade passe commande aux amis retrouvés d'un livre sur Paris. Titre prévu : *La Ville*. Belle occasion de reprendre, trente ans après, leurs déambulations à travers Paris et de retrouver en particulier la place Clichy où les attirait jadis l'immense Bébé Cadum. Le peintre réalise en temps voulu les lithographies, mais Cendrars est pris de court à la mort de Léger, le 17 août 1955. Près de deux ans plus tard, il écrit un récit sur les derniers jours de son ami. Remplaçant *La Ville* par *J'ai vu mourir Fernand Léger* (fig. 7), il remet son manuscrit à Tériade et pourtant le livre ainsi recomposé ne paraîtra pas ; les lithographies de Léger feront l'objet d'une édition séparée. Pour le centenaire de Cendrars, en 1987, l'éditeur suisse Albert Mermoud réunit enfin sous le titre *Paris, ma ville* le texte resté inédit et une reproduction des lithographies de Léger. Il fait état d'« une saute d'humeur inconsidérée mais inflexible » du poète qui se serait opposé à la publication. Le manuscrit, conservé dans les Archives littéraires suisses à Berne, jette un peu de lumière sur cette ténébreuse affaire. En deux pages absentes de *Paris, ma ville*, Cendrars donne de Nadia, la seconde femme de Léger, un portrait acide de « boï-baba », « une femme d'attaque et qui ne se laisserait pas faire ». Et d'abord par l'entourage de Léger : « Tout défile... Accusations... Plaintes... Menaces... Crises de rire... Sanglots... Cris... » Ces « propos hystériques [34] » ont probablement fait craindre à Tériade les réactions de l'intéressée, mais le poète aura refusé d'édulcorer son récit.

En jouant l'effritement des tendances contre l'emprise du groupe, en opposant les tableaux à la peinture avant de prendre des peintres un congé collectif, Cendrars transpose sa hantise du double dans une relation très ambivalente à la peinture. C'est ainsi qu'il a reconnu (ou cessé de reconnaître) « ses » peintres : Chagall, Delaunay (opportunément dédoublé en Robert et Sonia), Modigliani. Mais Léger occupe une place unique dans l'atelier de Cendrars : il a été, à deux reprises, l'autre de « son » poète.

Notes

1. Vladimir Pozner, *Le Mors aux dents* (1937, 1985), Actes Sud, « Babel », 2005, p. 9.
2. Fernand Léger, *Risques*, n°s 9-10 (« Salut, Blaise Cendrars !), s. d. [1954], p. 47.
3. Henri-François Rey, « Ainsi parlait Cendrars de son copain Léger », *Arts*, 10 novembre 1954 (*Rencontres avec Blaise Cendrars*, Claude Leroy [éd.]), Non Lieu, 2007, p. 176.
4. Fernand Léger, *Risques*, n°s 9-10, *op. cit.*
5. Miriam Cendrars, *Blaise Cendrars. La vie, le verbe, l'écriture*, Denoël, 2006, p. 277.
6. Henri-François Rey, « Ainsi parlait Cendrars de son copain Léger », *op. cit.*
7. Fernand Léger, *Risques*, n°s 9-10, *op. cit.*
8. « Atelier », *Dix-neuf poèmes élastiques* (1919). *Du monde entier au cœur du monde*, Poésie/Gallimard, Claude Leroy (éd.), 2006, p. 97.
9. Fernand Léger, *Risques*, n°s 9-10, *op. cit.*
10. Voir Michèle Touret, « Léger et Cendrars : dessins de guerre, paroles de guerre », dans Claude Leroy (dir.), *Blaise Cendrars et la guerre*, Armand Colin, 1995, p. 187-209.
11. Lettre-postface à Jean Epstein, *La Poésie d'aujourd'hui. Un nouvel état d'intelligence*, La Sirène, 1921 ; nouvelle édition des œuvres complètes dirigée par Claude Leroy, Denoël, « Tout autour d'aujourd'hui » (« TADA »), 2006, vol. 1 (sur 15), p. 360-361.
12. « Construction », *Dix-neuf poèmes élastiques*, *op. cit.*, p. 122-123.
13. *Le Paysage dans l'œuvre de Léger* (1956), TADA 15, p. 262.
14. Voir Claude Laugier, « Autour de *La Ville* et de Blaise Cendrars : 1918-1919 », *Fernand Léger*, Centre Georges Pompidou, 1997, p. 77-80.
15. *J'ai tué*, À la Belle Édition, François Bernouard, 1918 ; *Aujourd'hui* (1931), TADA 11, Claude Leroy (éd.), 2006.
16. *La Fin du monde filmée par l'ange Notre-Dame*, La Sirène, 1919 ; TADA 7, Jean-Carlo Flückiger (éd.), 2003.
17. « Modernités : Fernand Léger », *La Rose rouge* (3 juillet 1919) ; *Aujourd'hui*, *op. cit.*, p. 65-67.
18. *La Création du monde* (1923), précédée d'*Anthologie nègre*, TADA 10, Christine Le Quellec Cottier (éd.), 2006, p. 459-466.
19. Voir, entre autres travaux de Christian Derouet, son article fondamental sur « Fernand Léger, Blaise Cendrars : mythe et mythologie », dans Maria Teresa de Freitas *et al.* (dir.), *Cendrars et les arts*, Presses universitaires de Valenciennes, 2002, p. 131-144.
20. Fernand Léger, *Fonctions de la peinture*, Gallimard, « Folio essais », Sylvie Forestier (éd.), 1997.
21. Robert Guiette, *Monsieur Cendrars n'est jamais là*, Éditions du Limon, Michel Décaudin (éd.), 1990.
22. Georges Bauquier, *Fernand Léger. Vivre dans le vrai*, Maeght, 1987, p. 90.
23. « Pour prendre congé des peintres », *Aujourd'hui*, *op. cit.*, p. 81.
24. *Moravagine* (1926, 1956), TADA 7, p. 229.
25. *Aujourd'hui*, *op. cit.*, p. 53-72.
26. « Modernités : quelle sera la nouvelle peinture ? », *idem*, p. 54.
27. Colette Seghers, *Pierre Seghers, un homme couvert de noms*, Robert Laffont, 1981, p. 156-157.
28. *J'ai vu mourir Fernand Léger*, TADA 15, p. 315.
29. *L'Homme foudroyé* (1945), TADA 5, Claude Leroy (éd.), p. 375.
30. Lettre du 1er février 1945, dans Blaise Cendrars et Jacques-Henry Lévesque, « *J'écris-Écrivez-moi* ». *Correspondance 1924-1959*, Monique Chefdor (éd.), Denoël, 1991, p. 311.
31. André Verdet, *Entretiens, notes et écrits sur la peinture*, Galilée, 1978, p. 86.
32. Sur ces dossiers, voir Christian Derouet, « Fernand Léger, Blaise Cendrars : mythe et mythologie », *op. cit.*
33. *Le Paysage dans l'œuvre de Léger*, *op. cit.*, p. 251.
34. *J'ai vu mourir Fernand Léger*, *op. cit.*, p. 310.

Léger devant sa marionnette de Charlot, vers 1925
Photographie Thérèse Bonney

« Les éclairs étaient des mains. »
Blaise Cendrars

Jean-Carlo Flückiger

BLAISE CENDRARS ET LE MONDE DU SPECTACLE

PETITE REVUE EN TROIS TABLEAUX ET QUELQUES DIDASCALIES

Le 18 novembre 1911, peu avant de monter dans le train qui doit l'emmener de Warszawa Wsochdnia à Liepawa d'où il compte s'embarquer pour New York, Freddy Sauser griffonne dans son calepin une note sur la « spiritualité de la main ». Selon lui, bien des poètes en parlent, mais aucun peintre ne la traite comme elle le mérite. Pourtant, quelle matière à allégorie : « Main de la Haine, main de l'Orgueil, main de l'Amour et, surtout, celle de la Folie ! Ça nous distrairait un peu », écrit-il, pour ajouter aussitôt que, certes, Rodin et Bourdelle l'ont « volontairement agrandie, organiquement difformée, amplifiée », mais moi... « moi, je rêve de l'introduire au théâtre [1] » !

Pour ce faire, le jeune dramaturge propose de recourir à des « masques de la main ». Une « longue robe sombre » dissimulerait le corps de l'acteur ; sa tête serait réduite à la simple « ossature » et sa physionomie rendue totalement inexpressive, tant et si bien que les « mains énormes, artificielles et plastiques », portées immobiles « à hauteur de la tête », en paraîtraient « impersonnelles, asexuées ». Mais elles joueraient « de courts drames » sur des « paroles grandioses, d'une haute portée philosophique », déclamées dans les coulisses par des voix de femmes « lentes, monotones et graves [2] ». Tout cela, dans un décor et un éclairage aux teintes – blanc, violet et vert – que l'on dirait empruntées à Chagall.

Ce projet visionnaire lui est si cher que Blaise Cendrars le reprendra pour le publier dans le numéro de décembre 1913 de la revue berlinoise *Die Aktion* [3]. Aux voix de femmes se joignent désormais des voix d'hommes, et les mains, qui se bornaient à « palpiter » d'abord, cherchent maintenant à saisir les paroles proférées avec « une force sensuelle inattendue ». Mieux, elles miment l'origine et la fin du monde en un raccourci foudroyant. « Sous l'œil rivé du spectateur » et dans une agitation semblable à celle qui s'emparera de la « masse centrale » au début de certain ballet créé dix ans plus tard, « [les mains] s'animent peu à peu, tâtonnent gauchement, s'approchent, se dressent, rampent (comme une engeance de crapauds), puis pendent sans vie. Ce sont les harmoniques de la signification. Tragique latent. À la fin, une main balaie toute la scène d'une caresse décharnée [...] ».

Le 28 septembre 1915, sur une scène autrement tragique, ce n'est pas une main de caresse, mais un déluge d'obus et de rafales de mitrailleuses qui faucha les poilus lancés à l'attaque de la ferme Navarin. Grièvement blessé lors de cette opération, puis amputé de son bras droit, le caporal Cendrars perdit ainsi, non seulement sa main de pianiste et sa main d'écrivain, mais aussi – et, dans un sens, c'est peut-être là le plus grave – sa main d'homme de théâtre.

Brûler les planches

Dans la version de 1913 du *Théâtre des mains*, le coup de balai congédiant tous ces « fantoches » précède un dénouement qui surprend : « Alors la lumière jaillit du sol, se déverse de haut en bas, bondit de tous côtés, éclate, se déchaîne. / La scène est en rond comme au cirque. / Pas de musique. Rien que la lumière[4]. » Cendrars ne pousse-t-il pas ici la dramaturgie à un degré d'abstraction extrême, dès lors que son théâtre des mains se transmue en théâtre de pure lumière ?

Quoi qu'il en soit, l'écrivain ne publiera pas de pièce ni ne contribuera au renouveau du théâtre français. Son nom ne figurera pas en lettres capitales sur les colonnes Morris. Aucune photographie ne le montrera en grande discussion avec un Jouvet ou un Pitoëff dirigeant une répétition ; le triomphe d'un soir de première ne lui tournera jamais la tête. Et pourtant, son « théâtre » remplit un volume entier de la nouvelle édition de ses œuvres chez Denoël. Fort de ses cinq cent cinquante-quatre pages, ce volume fourmille de drames, mais il faut s'entendre sur le terme. Mis à part une ébauche d'écriture dramatique rédigée par Freddy Sauser à la veille de réussir l'invention de son pseudonyme, il se compose en réalité de trois pièces radiophoniques et d'un roman à clés[5].

Daté de New York, 5-8 avril 1912, le « petit drame », comme il l'appelle lui-même, porte un titre à faire froid dans le dos : *Danse macabre de l'amour*[6]. Tiraillé entre trois figures de femmes – la mère et ses deux filles –, incapable d'en aimer aucune, poussant l'une après l'autre les deux filles à la mort, Daudentley est un « parfait héros de fin de siècle, porté à l'érotisme le plus morbide, aussi exacerbé que mortifère[7] ». Ses mains – des mains d'esthète – jouent un rôle important. En effet, Daudentley n'arrête pas de caresser le clavier pour en tirer les sons les plus voluptueux et les harmonies les plus langoureuses. Un *ré* bémol subtilisé à Chopin lui fournit sa note fétiche. Ayant invoqué tour à tour les « ombres », la « lampe opaline », ses « bons amis les livres », son « royal piano », le voici qui, à la fin de son monologue, s'abîme dans la contemplation de ses mains qui « sursautent sous la lampe » : « Mains lumineuses qui bougez dans la nuit, mains tristes qui pincez, tristes, la harpe du silence, agrippez-vous aux rives du destin, attirez-le, apportez-le, étranglez-le ; déversez sur ma face inassouvie son sang et sculptez, cruelles mains, le sourire de ma bouche[8] ! »

Contrairement à *Séquences*, recueil de poèmes publié en 1913, puis renié ensuite comme péché de jeunesse, Cendrars a gardé *Danse macabre de l'amour* dans ses cartons jusqu'à la fin. Serait-ce que le « petit drame » était chargé de quelque secret inavouable ?

Quant aux trois pièces radiophoniques, conçues dès 1954, elles nous projettent à la toute fin de l'œuvre de l'écrivain. Elles ont été écrites en collaboration avec Nino Frank. L'empreinte de l'univers de Cendrars, très reconnaissable dans *Serajevo*, reste perceptible dans *Gilles de Rais*, mais fait étrangement défaut dans *Le Divin Arétin*. En 1959, lorsque ces *Films sans images* paraîtront en librairie, Cendrars aura cessé d'écrire[9]. « On ferait fausse route en y cherchant autre chose que "des voix" », prévient-il[10] – manière de dire que la boucle est bouclée et que le théâtre des mains s'est sublimé en théâtre des voix. Saurons-nous y entendre l'écho d'une tentative désespérée pour rattraper le temps perdu en répondant enfin à l'appel du théâtre, concrètement ?

Cette pointe de soupçon, l'histoire de l'actrice Thérèse Églantine que raconte *Emmène-moi au bout du monde !...* ne peut que la corroborer. Il s'agit du dernier grand texte de Cendrars, achevé au prix d'un long et pénible effort. « Le théâtre m'amuse follement... mais dans les coulisses ! », lance-t-il dans une interview[11] ; et de fait, dans son roman, il ne recule devant rien en matière de révélations sur les dessous de la vie d'une troupe parisienne dominée par un monstre sacré allant sur ses soixante-dix-neuf piges. *Emmène-moi...* va ainsi

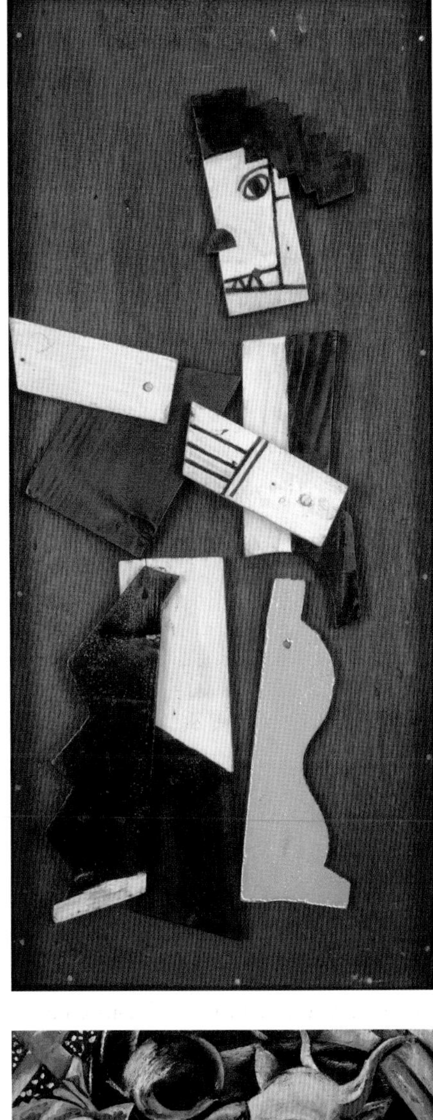

Fig. 1 Fernand Léger
Charlot cubiste, vers 1923
Assemblage, éléments en bois peints, cloués sur contreplaqué, 73,6 x 33,4 x 6 cm
Paris, Centre Georges Pompidou, Musée national d'Art moderne/ Centre de création industrielle, acquis par dation, 1985

Fig. 2 Marc Chagall
Dédié à ma fiancée, 1912
Huile sur toile, 196 x 114,5 cm
Berne, Kunstmuseum

jusqu'au bout de la mise à nu d'une théâtreuse de génie. Mais c'est aussi un précis de l'art du théâtre permettant à Cendrars d'aborder, mine de rien, non seulement maints problèmes de dramaturgie et de mise en scène, mais également de trancher telles ou telles questions de diction, de mimique, de décor et d'éclairage [12].

Sous les traits de Thérèse Églantine, le lecteur aura vite fait de reconnaître ceux de Marguerite Moreno et ceux de Raymone, compagne et muse du poète. Une autre figure hante cependant ce roman ouvertement annoncé comme un roman à clés. En J.-B. Kramer, Cendrars brosse un portrait on ne peut plus cruel de lui-même. Critique de théâtre érudit et influent, ce « roi des chroniqueurs » vient de relancer la carrière de Thérèse à qui il porte un amour sans espoir. Mais s'étant mis tout le monde à dos, soupçonné de meurtre par un chef de police corrompu, Kramer finit par se suicider [13]. La tragédie qu'il a vécue résonne ainsi comme un cri de protestation contre tout le mauvais théâtre qu'il a subi, comme un cri de rage contre toutes ces pièces de voix et de lumière qu'il a rêvées, mais jamais écrites.

Certes, on aurait mauvaise grâce à reprocher au poète, au romancier, à l'essayiste, de n'avoir inscrit aucune pièce au catalogue de ses œuvres. Les relations de Cendrars avec le monde du spectacle suffiraient à remplir un vaste plateau parsemé de surprises. Du cabaret londonien (où il dit avoir jonglé aux côtés de celui qui allait devenir Charlot) au tournage de *La Roue* (auquel il participa en sa qualité d'assistant d'Abel Gance), on pourrait multiplier les scènes. Sans oublier les studios de Rome où il réalisa, en 1921, *La Venere nera*, son seul et unique film, que personne, hélas, n'a jamais vu. N'empêche que toutes ces expériences nourriront largement son travail d'écriture. Aussi m'en voudrais-je de ne pas éclairer des rayons de nos projecteurs, ne serait-ce qu'un instant, le souvenir des textes que Cendrars a consacrés à Charlot, tout en les rapprochant des *Charlot cubistes* confectionnés par Fernand Léger [14] (fig. 1).

***Dédié à ma fiancée* (1912,** fig. 2)
Début 1912, Marc Chagall s'installe à la Ruche. « Je veillais des nuits entières. Voilà déjà une semaine que l'atelier n'a pas été nettoyé, se souvient-il, châssis, coquilles d'œufs, boîtes vides de bouillon à deux sous traînent pêle-mêle. Ma lampe brûlait, et moi avec elle. Elle brûlait jusqu'à ce que son éclat durcît dans le bleu du matin [15]. »

Lorsque le tableau de l'homme-taureau au manteau écarlate est montré pour la première fois au public lors du vernissage du Salon des indépendants, le 20 mars 1912, l'ordre est donné de le décrocher une heure avant le vernissage : la censure voit rouge et en dénonce l'obscénité. Mais, Monsieur, regardez un peu ! Ouvrez l'œil ! Il n'y a rien de ce que vous imaginez. Là, c'est simplement une lampe à pétrole. Un accord est finalement trouvé, à grand renfort d'arguments. Apollinaire, qui rapporte l'incident dans son compte rendu de *L'Intransigeant*, ne jette cependant qu'un coup d'œil distrait à cette toile rutilante intitulée *La Lampe et les Deux Personnes*.

Le même jour, Frédéric Sauser, homme de lettres, New York City, 70 W 96th Street, reçoit une lettre lui notifiant l'échec de sa démarche en vue d'obtenir « une place de commis à la Chancellerie de la Légation [suisse] [16]». Est-ce cette nouvelle déconvenue qui hâte la décision de rentrer en Europe qu'il rumine depuis un moment ? Féla ne peut subvenir à elle seule aux besoins du couple. La situation devient intenable. Que faire ? « C'est bien simple : aller en place » ; et Freddy ira encore « au Courrier, puis chez le Consul », mais il sait déjà que rien ne doit l'empêcher d'écrire : « J'ai des choses à faire que j'accomplirai [17]. » Et il prend sa plume pour refaire encore telle page dix fois déchirée de la *Danse macabre de l'amour*...

Trois mois plus tard, Freddy devenu Blaise Cendrars est accueilli à Genève par son frère Georges. En juillet, il reprend contact à Paris avec son ami le sculpteur August Suter. En septembre, il s'installe au 4, rue de Savoie, dans le VIe arrondissement. Désireux de se faire connaître, il noue de nombreuses relations dans les milieux d'avant-garde. Avec Emil Szittya, il fonde la revue *Les Hommes nouveaux*. Il écrit. Il termine *Les Pâques à New York* et en envoie une copie à Apollinaire.

Et un jour – mais quel jour précisément ? –, il se rend passage de Dantzig : « La Ruche / Escaliers, portes, escaliers / Et sa porte [18] »... Non, attendez ! – « avant d'entrer dans mon atelier, il fallait toujours attendre. C'était pour me donner le temps de me mettre en ordre, de m'habiller, car je travaillais nu », se souviendra Chagall [19]. Le seuil franchi, Cendrars est happé par l'énergie créatrice dépensée durant la nuit, palpable encore dans ce pêle-mêle d'esquisses frénétiques, de dessins, de tableaux... Et comment endiguer le flot de souvenirs russes qui le submerge ? Toute la décantation opérée par un poème y suffira-t-elle ? « La Pitié » (1912) évoque les multiples scènes d'accouchement peintes par Chagall. Celles-ci reviennent dans le célèbre quatrième « Poème élastique » : « Il y a des baquets de sang / On y lave des nouveau-nés » ; d'autres toiles, d'autres figures y passent, fugitives : « l'épicier du coin », « sa fiancée », « le Christ », « la Tour en tire-bouchon », etc. Et voilà qu'« il prend une vache et peint avec une vache », puis, cinq vers plus loin, il peint « avec toute la sexualité exacerbée de la province russe [20] ».

Cendrars a-t-il vu *Intérieur II* (1911) ? La moitié gauche de cette toile est occupée par une fenêtre noire striée d'éclairs, une tête de vache au regard médusé et un coin de table sur lequel « danse » – on ne saurait dire autrement – une lampe à pétrole. Une scène d'« érotisme fougueux » se déroule dans l'autre moitié du tableau, une jeune paysanne se ruant toutes jambes dénudées sur un barbu visiblement aussi ravi qu'étonné de ces assauts impétueux...

On devine peu à peu pourquoi *La Lampe et les Deux Personnes* a pris une telle importance dans le théâtre tout d'intériorité – théâtre d'images rêvées, de visions et de voix – qui est celui du poète [21].

Une nuit donc – peut-être la nuit où le peintre apporta d'ultimes retouches à son tableau avant de l'envoyer à Berlin, au premier Salon d'automne –, à l'atelier de Chagall. Cendrars est monté quatre à quatre ; le voilà projeté devant cet excès de rouge en fête se déversant sur le tableau. La tornade de couleurs et de contrastes violents qui fait tourbillonner corps, visages, jambes et mains lui coupe le souffle. Un homme, une femme : elle, à califourchon sur ses épaules, penchant très bas son buste ; lui, la tenant fermement par les jambes et recevant, impassible, le jet de salive qu'elle lui lance. Mais le choc, c'est de voir chavirer la lampe, au premier plan. Blaise vacille, pris de vertige. L'homme-taureau veut-il la retenir de sa main gauche ? Ou la pousse-t-il de son talon droit ? Pour exorciser le souvenir halluciné d'Hélène morte à Saint-Pétersbourg – il y a six ans déjà ! –, dans l'incendie déclenché par la lampe tombée de sa table de chevet, Cendrars n'a qu'une recette, et ce sera son poème le plus lapidaire. « Ça, *La Lampe et les Deux Personnes* ? », s'écrie-t-il. Puis, aussitôt : « Non, non, non !, fixant son ami de ses yeux brûlants, cette toile s'appellera *Dédié à ma fiancée* ! »

Fig. 3 Pablo Picasso
Rideau pour le ballet *Parade*, 1917
1050 x 1640 cm
Paris, Centre Georges Pompidou,
Musée national d'Art moderne/Centre de création industrielle

Le rideau de *Parade* (1917, fig. 3)
Comment se fait-il que nous ne connaissions aucun « Cendrars » peint par Chagall ? L'artiste russe figure pourtant en tête de la liste que le poète dresse lorsque, le jour de ses soixante ans, il se demande : « Qui a fait mon portrait à ce jour [22] ? » Modigliani et Léger y sont à juste titre ; plus loin surgit l'effigie « romantique à souhait » due au crayon de Richard Hall. Caruso – tiens ! – aurait croqué Cendrars à la dérobée une centaine de fois ; de même, le portrait bien campé (mais perdu) par Léon Bakst aurait été achevé sans une seule séance de pose. Or, c'est de Picasso que semble venir le problème. Dernier nommé dans cette liste, il arrive en queue du cortège de ces « autres peintres » qui ont pu croquer Cendrars « à [s]on insu, au café ou ailleurs ». Et ainsi donc, « il n'est pas exclu que, tout comme Léon Bakst, Paul Picasso ne m'ait peint, en cuistre, en singe, en amputé, en arlequin (certains ont cru me reconnaître de dos sur le rideau de *Parade*), en je ne sais quoi, en rien du tout, lors d'une de ses insomnies dont il souffre périodiquement [23] [...]. »

Lors de sa première au Théâtre du Châtelet, le 18 mai 1917, *Parade* fit scandale, mais se révéla un événement clé de l'histoire du théâtre. Ce ballet « réaliste » marque également un tournant dans la carrière de ses créateurs. Pour Cocteau (qui fournit l'argument) et Satie (qui signe la musique), c'est le début de la gloire. Le travail sur le décor et les costumes auquel il se mesure pour la première fois incite Picasso à s'affranchir du cubisme dogmatique. Quant à Cendrars, s'il ne participe pas à l'entreprise de ses amis, il en suit les progrès, assiste aux répétitions et, bien entendu, à la première, dont il saisit aussitôt la portée artistique.

On le sait, 1917 est une année cruciale pour Blaise Cendrars. Elle lui permet de sortir de la longue crise dans laquelle l'ont plongé la guerre, la blessure, l'amputation de sa main droite. Le 26 avril, le mécène Jacques Doucet propose de lui payer cent francs chacun des douze chapitres du récit qui s'appellera *L'Eubage, aux antipodes de l'Unité*. La nuit du 1er septembre – celle de ses trente ans – sera sa plus belle nuit d'écriture : rédigée d'un jet, *La Fin du monde filmée par l'ange Notre-Dame* lui rendra toute son ardeur créatrice, logée désormais dans sa main gauche. Enfin, le 26 octobre, il rencontrera sa « muse » en la personne de la comédienne Raymone Duchâteau...

Rentré de Cannes à Paris début mars, Cendrars s'était beaucoup dépensé, beaucoup agité, retrouvant ses « copains » Apollinaire, Cocteau, Léger, Picasso, guettant l'occasion de percer, toujours hanté par la sombre figure de Moravagine. Concevait-il alors quelque jalousie envers l'équipe de *Parade* ? Le concert donné, sur son initiative, le 6 juin, à la salle Huyghens, comportait entre autres l'exécution de *Parade* au piano, à quatre mains. Or, ce soir-là, le programme imprimé établit clairement que Cocteau allait supplanter Cendrars en tant qu'« inspirateur » du Groupe des Six. Le lendemain, le poète partit à la campagne. C'est à Méréville qu'il passera l'été 1917 : c'est là que ses premiers grands textes de la main gauche verront le jour. Mais au début de l'année, l'heure de créer son ballet à lui n'avait pas encore sonné...

Revenons à *Parade*. Le 18 mai, lorsqu'ils découvrirent le grand rideau de scène, les spectateurs se sentirent trahis : Picasso était revenu à la peinture figurative ! Certes, les énormes figures de managers cubistes allaient affirmer la modernité résolue du spectacle. Mais tout de même, ce cheval blanc ailé monté d'une écuyère hissant un singe au haut d'une échelle ! Et, côté droit, ce groupe de gens du cirque attablés et festoyant ! Pierrot, Colombine, le danseur de flamenco, l'avaleur de sabres, le marin et sa fiancée, et, de dos, la tête tournée vers les êtres blancs, éthérés, Arlequin, dans son habit en damier rouge et noir, attirant sur lui tous les regards.

On imagine le vertige qu'a dû ressentir Blaise en se voyant ainsi placé au point focal de la scène, sans jamais avoir eu à subir le moindre quart d'heure de pose. Or, vu la phénoménale mémoire visuelle du peintre... « Certains ont cru me reconnaître [...] sur le rideau de *Parade* », la formule est tardive et prudente. L'identification serait-elle à mettre sur le compte de ce travers que Cocteau reprochera à son ami : « Il voulait s'approprier toutes les miettes de la gloire des autres [24] » ? Explication fort peu satisfaisante pour qui n'est pas avant tout amateur de potins...

Nous nous bornerons ici à suggérer une piste de recherche consistant à explorer l'arrière-fond mythologique et ésotérique du rideau de *Parade* tel que le décrit Jean Clair [25] et de le mettre en parallèle avec l'arrière-fond analogue qui sous-tend *L'Eubage*. Le ciel, l'échelle, le singe, le cheval en liberté – autant d'éléments communs aux deux œuvres, autant de points de comparaison possibles, autant d'entités susceptibles de ramifications symboliques à l'infini –, voici l'ancrage de notre hypothèse.

***La Création du monde* (1923,** fig. 4)

Écrire est un métier solitaire. Dès ses débuts, Cendrars se montre volontiers travaillant en ermite devant un mur blanc, tournant le dos aux plus beaux paysages. Le mouvement d'un train – le poète assis dans un coin de compartiment face à son « âme bien emmitouflée [26] » – imprime son impulsion à cette scène originelle. Par contraste, les photos prises lors d'une répétition au Théâtre des Champs-Élysées n'en prennent que plus de relief. Tout le « staff » de *La Création du monde* s'y trouve réuni : Darius Milhaud (musique), Fernand Léger (décors et costumes), Jan Börlin (chorégraphie), Rolf de Maré (directeur des Ballets suédois) (fig. 5). Blaise Cendrars, posant en conquérant à la Maïakovski, n'en aura pas seulement fourni l'argument, mais c'est lui « qui guide avant tout le projet et met en valeur les formes primitives » de ce ballet africain [27]. Tout laisse à penser qu'il vit un moment de vrai bonheur grâce à ce travail en équipe, avec ces éminents artistes qui sont aussi ses amis.

Il faut dire que cette aubaine tombe à point nommé. La poussée créatrice de l'été 1917 s'étant émoussée, l'aventure cinématographique dans laquelle Cendrars s'était lancé à corps perdu ayant tourné court, les deux romans *Moravagine* et *Dan Yack* restant en rade, l'année 1923 s'en allait à vau-l'eau... Grâce à *La Création du monde*, ce sera au contraire une année « de remise à zéro des compteurs » – non une année ratée, mais celle d'un nouveau départ [28]. Tout se passe en effet comme si la réalisation de *La Création du monde* devançait l'exubérance de l'accueil que São Paulo fit le 12 février 1924 au poète de la modernité.

Si, dans le domaine du spectacle, *La Création du monde* est le projet le plus abouti, le plus incontestable auquel Cendrars ait pris part [29], son éclatante réussite doit beaucoup à l'heureuse constellation sous laquelle l'œuvre est née. En 1923, l'art nègre est toujours en vogue. La partition de Milhaud, mariant habilement jazz et musique classique, *blue note* et fugue, est saluée comme l'un de ses chefs-d'œuvre. En découvrant la sculpture africaine et en l'intégrant judicieusement à ses recherches géométriques, Léger dessine des décors

Fig. 4 Maquette de la scène de *La Création du monde* reconstituée en 1995 par Espace et Cie
Biot, Musée national Fernand Léger (cat. 64)

Fig. 5 L'équipe de *La Création du monde*, vers 1924
De gauche à droite : Blaise Cendrars, Rolf de Maré, Darius Milhaud, Fernand Léger et le danseur Jan Börlin
Photographie Erlanger de Rosen (cat. 66)

et des costumes époustouflants de beauté magique. Börlin apporte l'expérience de son récital *Sculpture nègre* dansé en solo sur une musique de Scriabine, en mars 1920. Depuis un moment, Cendrars travaille à son *Anthologie nègre* qui paraîtra en juin 1921 et dont Michel Leiris dira que, « plus qu'un livre, c'est un acte[30] ». Or, la « fête nègre » organisée par le marchand d'art africain Paul Guillaume le 10 juin 1919 avait déjà donné l'occasion à Cendrars de mettre en scène « La Légende de la création » entrecoupée des danses de diverses ethnies.

Tout naturellement, il reprit cette « Légende des origines[31] » pour en faire l'argument du nouveau spectacle. Mais, trop long et trop complexe avec son premier homme répondant au nom de Fam et qui, ayant mal tourné, est remplacé par Sékoumé et Mbongwé – lesquels auront beaucoup d'enfants –, ce récit devait être simplifié, réduit à la durée réclamée par Léger : « Un spectacle doit être rapide, son unité ne permet pas plus de 15 à 20 minutes[32]. » Dès lors, que reste-t-il d'essentiel ? Les trois divinités, le chaos originel, ainsi que l'homme et la femme formant le premier couple. Le grouillement primordial d'où la vie émerge constitue l'un des thèmes fondamentaux qui hantent le poète depuis toujours, de même que le drame de la bipartition de l'humanité en deux sexes. Quel analyste implacable il sait se faire de certains couples infernaux tels que Mascha et Moravagine, Marthe et Gustave Le Rouge, Paquita et son fat de mari, Thérèse Églantine et son légionnaire, Oswaldo Padroso et Sarah Bernhardt, Blaise et Raymone… Quels abîmes s'ouvrent soudain !

La première de *La Création du monde* eut lieu le 25 octobre 1923 au Théâtre des Champs-Élysées[33]. Le rideau se lève. Dès les premières mesures, on est débordé. Où donner de l'œil ? Partout, cela bouge. « Tout est couleur mouvement explosion lumière », jamais vers n'a été mieux illustré[34]. C'est un moment de parfaite magie théâtrale. Et déjà les trois dieux – Nzamé, Mébère et N'kwa – se sont concertés (fig. 6) ; les plantes, les arbres, les animaux ont été créés ; les grands féticheurs et sorciers sont apparus ; l'homme et la femme ont entamé la danse du désir…

Fig. 6 Fernand Léger
Trois divinités
Illustration du programme des Ballets suédois (non paginé),
Biot, Musée national Fernand Léger (cat. 63)

Le baisser du rideau

Faudrait-il intégrer à notre propos les titres qui réunissent à nouveau les deux vieux amis dans les années cinquante, à savoir *Le Paysage dans l'œuvre de Léger*, entretien enregistré en octobre 1954 [35], et *J'ai vu mourir Fernand Léger*, singulier et émouvant requiem dans lequel Cendrars associe l'art de son ami au french cancan et sa mort à la disparition d'un pionnier de l'aviation [36] ? Ce serait sans doute forcer outre mesure l'acception du terme « spectacle ».

Mais on gardera, au fond des yeux, le reflet de ce moment d'apaisement qui survient après le grand « Vertige final » et, au creux de l'oreille, le dernier accord non résolu sur lequel s'achève et recommence *La Création du monde* : « La ronde se calme, freine et ralentit, et vient mourir très calme alentour. La ronde se disperse par petits groupes. Le couple s'isole dans un baiser qui le porte comme une onde. C'est le printemps. »

Notes

1. Blaise Cendrars, *Mon voyage en Amérique*, Fata Morgana, 2003, p. 26-28, et *Inédits secrets*, Denoël, 1969, p. 158-159.
2. *Ibidem.*
3. Blaise Cendrars, « Theater der Hände », *Die Aktion* n° 52, 27 décembre 1913, p. 1206. On trouvera la restitution du texte en français dans Blaise Cendrars, *Les Armoires chinoises*, Fata Morgana, 2001, p. 33-34. Dans cette nouvelle version, le « casting » s'augmente des mains suivantes : « Main de l'Érotisme, main crochue de l'Avare, mains nouées du Criminel, main du Prêtre Simoniaque, main-sac du Bourreau. Et les autres. »
4. Blaise Cendrars, *Les Armoires chinoises*, *op. cit.*, p. 34.
5. Blaise Cendrars, *Emmène-moi au bout du monde !...*, suivi de *Films sans images* et de *Danse macabre de l'amour*, nouvelle édition des œuvres complètes dirigée par Claude Leroy, Denoël, « Tout autour d'aujourd'hui » (« TADA »), 2006, vol. 14 (sur 15).
6. TADA 14, p. 469-492.
7. TADA 14, p. 538, notice sur *Danse macabre de l'amour* par Claude Leroy.
8. TADA 14, p. 474.
9. Blaise Cendrars, *Films sans images*, Denoël, 1959, et TADA 14, p. 261-467. Les premières diffusions sur la chaîne nationale de la RTF ont eu lieu aux dates suivantes : *Serajevo*, le 15 janvier 1955 ; *Gilles de Rais*, le 17 décembre 1955 ; et *Le Divin Arétin*, le 1er juin 1957. En août 1956, Cendrars fut victime d'une première attaque cérébrale, puis d'une deuxième durant l'été 1958.
10. Blaise Cendrars, *Films sans images*, « Avertissement », TADA 14, p. 262.
11. Blaise Cendrars, *Qui êtes-vous ?*, TADA 15, p. 219.
12. Par ailleurs, *Emmène-moi au bout du monde !...* est conduit comme une enquête policière s'achevant en eau de boudin : la main gauche qui tire le coup de pistolet fatal ne sera jamais identifiée...
13. Suicidé ou enfermé dans un asile psychiatrique ? L'ambiguïté subsiste dans le roman.
14. Il s'agit pour l'essentiel de deux textes recueillis dans *Trop c'est trop*, à savoir « Si j'étais Charlie Chaplin » (TADA 11, p. 436-438) et « Charlot » (TADA 11, p. 439-448), ainsi que de *Si j'étais Charlot* (1930), fragment inédit, *Revue des Sciences humaines* n° 216, 1989, p. 195-203. Quant au *Charlot cubiste* de Fernand Léger, on en trouvera la reproduction *supra*, p. 27.
15. Marc Chagall, *Ma vie*, Stock, 1957, p. 145.
16. *IS*, p. 206-207.
17. Cette citation ainsi que la précédente, *IS*, p. 209.
18. Blaise Cendrars, *Dix-neuf poèmes élastiques. Du monde entier au cœur du monde*, Poésie/Gallimard, 2001, p. 97, et TADA 1, p. 73.
19. Marc Chagall, *Ma vie*, *op. cit.*, p. 146.
20. Blaise Cendrars, *Du monde entier...*, *op. cit.*, p. 96-97, et TADA 1, p. 72.
21. Théâtre tout intérieur, imaginaire, en comparaison avec celui, concret et artisanal, de Chagall, qui acquerra au cours de sa carrière une riche expérience de décorateur, à commencer par les maquettes et les costumes du *Revizor* de Gogol qu'il confectionne en 1920 pour le théâtre juif Kamerny de Moscou, dont il va aussitôt couvrir les murs de neuf peintures monumentales – superbe manifeste du renouveau du théâtre yiddish. Un acteur de la troupe lui fait alors ce compliment : « Je les ai étudiées, vos esquisses. Je les ai comprises. Ça m'a conduit à transformer complètement mon personnage. Désormais, je sais utiliser autrement mon corps, le mouvement, la parole » (Marc Chagall, *Ma vie*, *op. cit.*, p. 233-234).
22. *Bourlinguer*, « Gênes », TADA 9, p. 197.
23. *Ibidem*, p. 198. Deux pages plus haut, Cendrars affirme avoir refusé l'offre que lui fait Picasso, un jour de 1929, de réaliser son portrait « pour la postérité ».
24. Jean Cocteau, *Le Passé défini*, 21 janvier 1961, cité par Pierre Caizergues, « Blaise Cendrars et Jean Cocteau », *L'Encrier de Cendrars*, Neuchâtel, La Baconnière, 1989, p. 143.
25. Jean Clair, « Picasso Trismégiste : notes sur l'iconographie d'Arlequin », dans Jean Clair (dir.), *Picasso 1917-1924. Le Voyage d'Italie*, Milan, Bompiani, 1998, p. 15-30.
26. *IS*, p. 153 et 155.
27. Brigitte Hédel-Samson et Nelly Maillard, *Fernand Léger et le spectacle*, Musée national Fernand Léger, Biot, Alpes-Maritimes, RMN, 1995, p. 103.
28. Voir Claude Leroy, « Blaise Cendrars, au premier jour du monde », dans Josiane Mas, *Arts en mouvement : les Ballets suédois de Rolf de Maré, Paris 1920-1925*, Montpellier, Presses universitaires de la Méditerranée, 2008, p. 137-151.
29. Cendrars était en train de préparer un deuxième ballet – *Après-dîner* – pour les Suédois, lorsque l'occasion d'un voyage au Brésil s'offrit à lui, début 1924. Profitant de son absence, Picabia lui en chipa l'idée et réalisa le ballet avec Satie, en le rebaptisant *Relâche*.
30. Cité par Christine Le Quellec Cottier dans la préface à son édition de l'*Anthologie nègre*, TADA 10, p. XIX.
31. Tel est son titre original. Voir *Anthologie nègre*, TADA 10, p. 7-13.
32. Fernand Léger, « Le spectacle, lumière, image mobile, objet-spectacle », *Fonctions de la peinture*, Gallimard, « Folio essais », n° 309, 2004, p. 113.
33. J'ai eu la chance de voir le ballet dans sa fidèle recréation par Millicent Hodson et Kenneth Archer avec la troupe du Grand Théâtre, à Genève, en décembre 2000, lors de l'exposition « *La Création du monde*. Fernand Léger et l'art africain du musée d'Art et d'Histoire ».
34. Treizième « Poème élastique », *Du monde entier.*, *op. cit.*, p. 115. On trouvera le texte de l'argument, ainsi que divers documents de *La Création du monde* dans *Anthologie nègre*, TADA 10, p. 459-469.
35. TADA 15, p. 249-289.
36. TADA 15, p. 291-317.

FERNAND LÉGER, LES TOITS DE PARIS 1912, huile sur toile, 90 x 64 cm, Paris, Centre Georges Pompidou, Musée national d'Art moderne/Centre de création industrielle, acquis par dation, en dépôt au Musée national Fernand Léger, Biot (cat. 1)

FERNAND LÉGER, JANE ET CUBISTE 1914, encre violette sur papier, 19,8 x 15 cm, Biot, Musée national Fernand Léger, donation Nadia Léger et Georges Bauquier (cat. 3)

FERNAND LÉGER, VERDUN, DESSIN DU FRONT Vers 1915, crayon sur papier, 21,2 x 16,3 cm,
Biot, Musée national Fernand Léger, donation Nadia Léger et Georges Bauquier (cat. 4)

FERNAND LÉGER, SANS TITRE (LE POILU) Vers 1917, plume, encre brune et lavis brun sur papier, 17,3 x 10 cm, Biot, Musée national Fernand Léger, donation Nadia Léger et Georges Bauquier (cat. 7)

FERNAND LÉGER, LA COCARDE, L'AVION BRISÉ Vers 1916, aquarelle et crayon sur papier, 23 x 29,1 cm, Biot, Musée national Fernand Léger, donation Nadia Léger et Georges Bauquier (cat. 6)

FERNAND LÉGER, CONTRASTE DE FORMES 1918, huile sur toile, 41 x 26,5 cm,
musée d'Art moderne de la Ville de Paris (non exposé)

FERNAND LÉGER, SANS TITRE (MOUVEMENT DE CHARRUE) Vers 1918, gouache et encre de Chine sur papier, 32,8 x 44 cm, Biot, Musée national Fernand Léger, donation Nadia Léger et Georges Bauquier (cat. 12)

FERNAND LÉGER, INVENTION 1918, mine de plomb et aquarelle sur papier, 40,1 x 31,5 cm, musée de Grenoble, achat en 1949 (cat. 8)

Fernand Léger, L'Horloge 1918, huile sur toile, 50,7 x 61,5 cm,
Riehen / Bâle, Suisse, Fondation Beyeler (cat. 10)

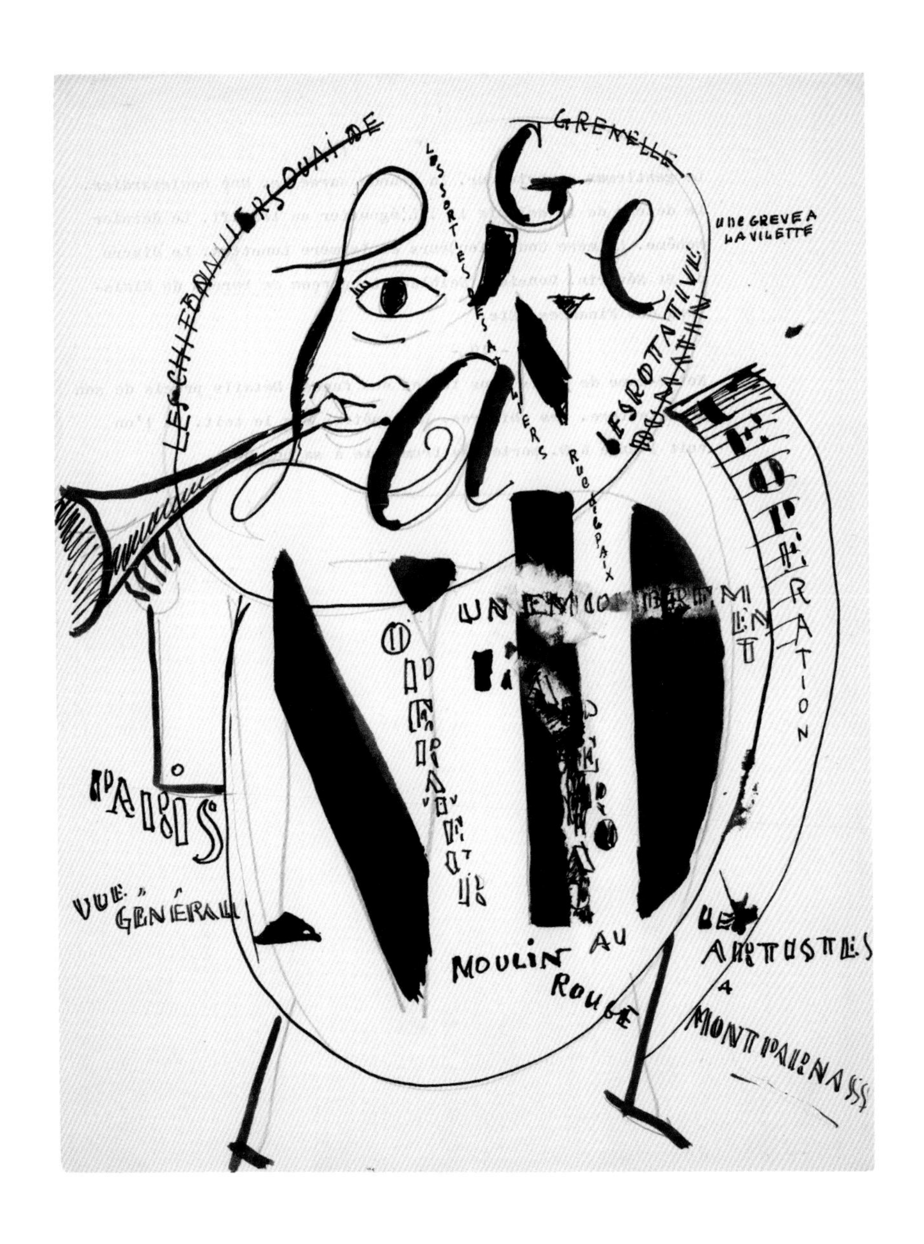

Blaise Cendrars, *La Fin du monde filmée par l'ange Notre-Dame* 1919, projet de couverture, encre sur papier, Berne, Bibliothèque nationale suisse, Fonds Blaise Cendrars (cat. 48)

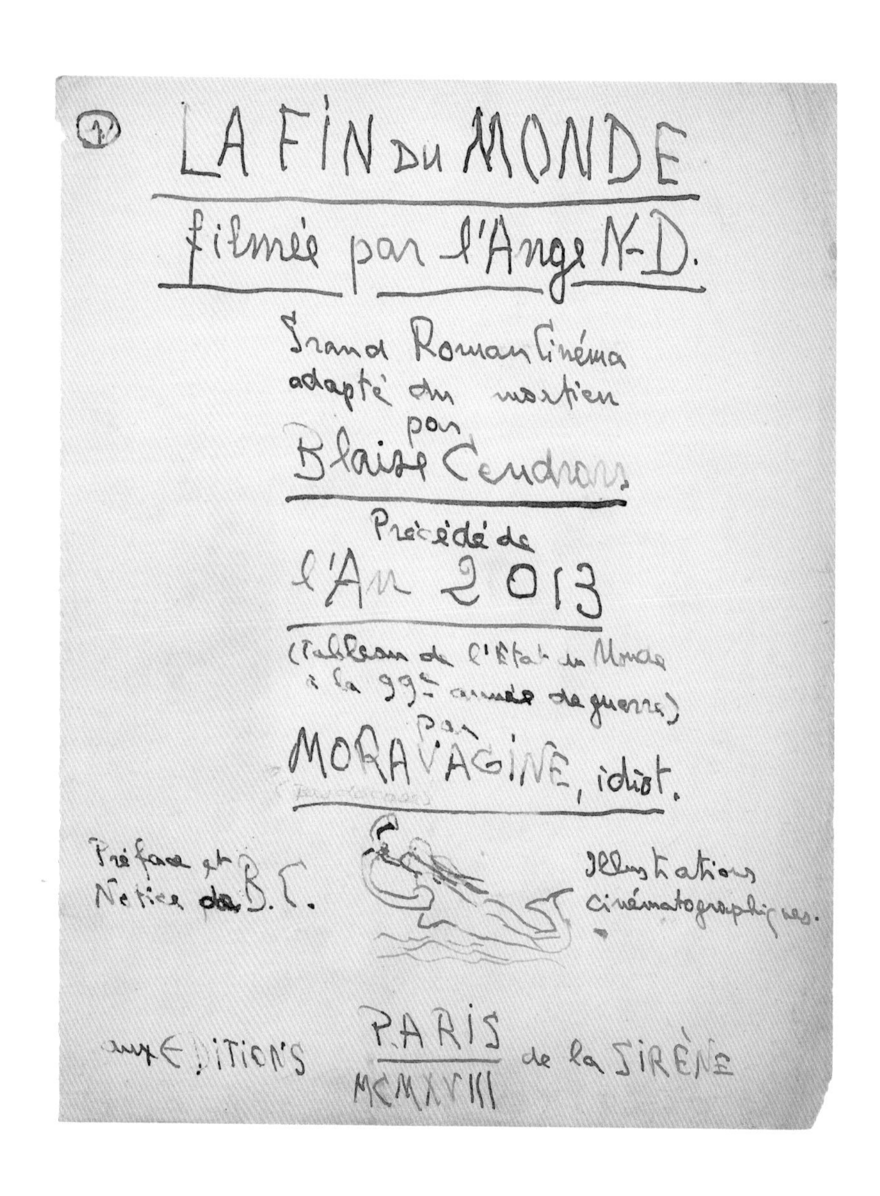

LA FIN DU MONDE

filmée par l'Ange N.-D.

Grand Roman Cinéma
adapté du martien
par
Blaise Cendrars

Précédé de
l'An 2013
(Tableau de l'État du Monde
à la 99e année de guerre)
par
MORAVAGINE, idiot.

Préface et
Notice de B. C.

Illustrations
cinématographiques.

aux ÉDITIONS de la SIRÈNE
PARIS
MCMXVIII

Blaise Cendrars, *La Fin du monde filmée par l'ange Notre-Dame* 1919, projet de mise en page de titre, encre sur papier, Berne, Bibliothèque nationale suisse, Fonds Blaise Cendrars (cat. 49)

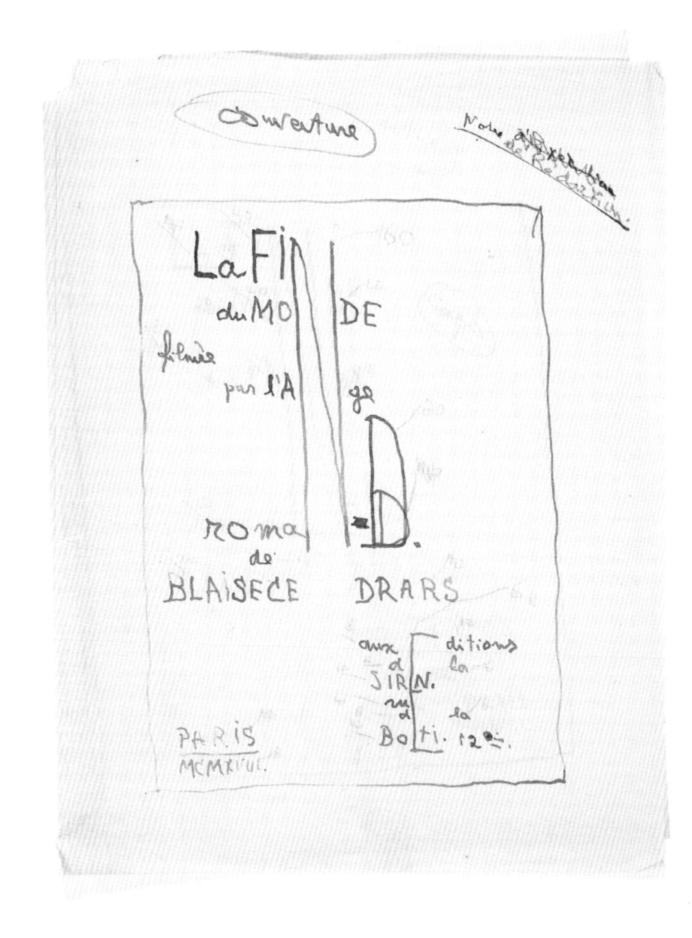

Blaise Cendrars, La Fin du monde filmée par l'ange Notre-Dame 1919, projet de mise en page de titre, encre sur papier, Berne, Bibliothèque nationale suisse, Fonds Blaise Cendrars (cat. 50)

Blaise Cendrars, La Fin du monde filmée par l'ange Notre-Dame 1919, couverture de l'album illustré par Fernand Léger, La Sirène, Paris, 1919 (non paginé), Biot, Musée national Fernand Léger (cat. 52)

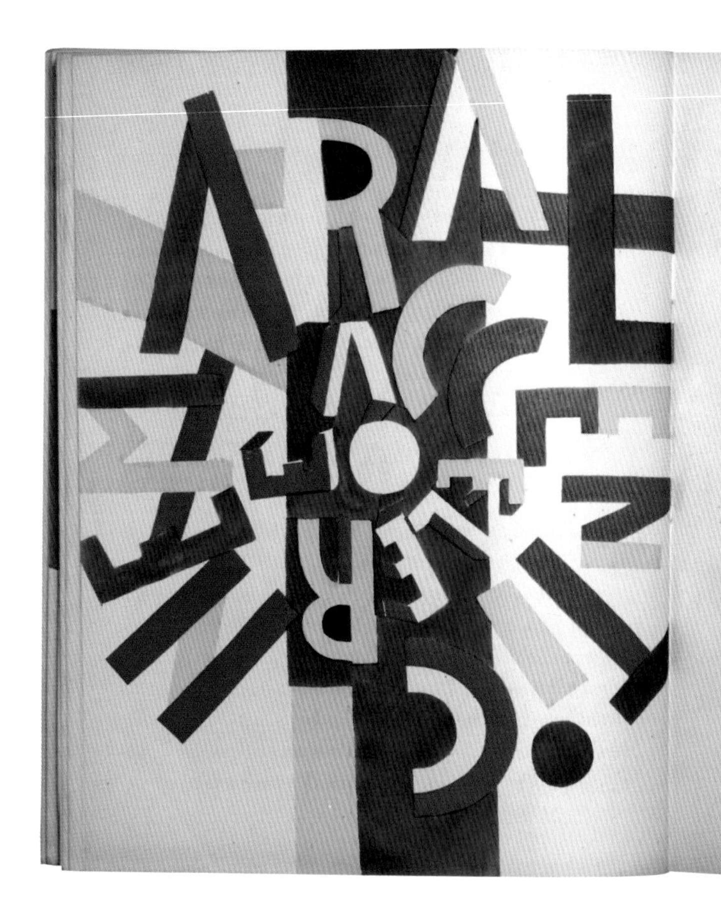

28.

L'homme mort et les animaux domestiques détruits, réapparaissent les espèces et les genres qui avaient été chassés. Les mers se repeuplent des baleines et la surface de la terre est envahie par une végétation énorme.

29.

On voit les champs en friche verdir et fleurir furieusement. Une végétation audacieuse s'épanouit. Les graminées deviennent ligneuses ; les herbes folles, hautes et fortes, durcissent. La ciguë est légumineuse. Des arbustes apparaissent, poussent. Les bois s'étendent, et l'on voit les plaines d'Europe s'assombrir, se recouvrir uniformément d'apalachine.

Blaise Cendrars, La Fin du monde filmée par l'ange Notre-Dame 1919, illustration de Fernand Léger, chapitre quatrième, « L'ANGE N.-D. OPÉRATEUR », La Sirène, Paris, 1919, Biot, Musée national Fernand Léger (cat. 52)

Blaise Cendrars, La Fin du monde filmée par l'ange Notre-Dame 1919, illustration de Fernand Léger, chapitre deuxième, « L'ANGE N.-D. OPÉRATEUR », double page, La Sirène, Paris, 1919, Biot, Musée national Fernand Léger (cat. 52)

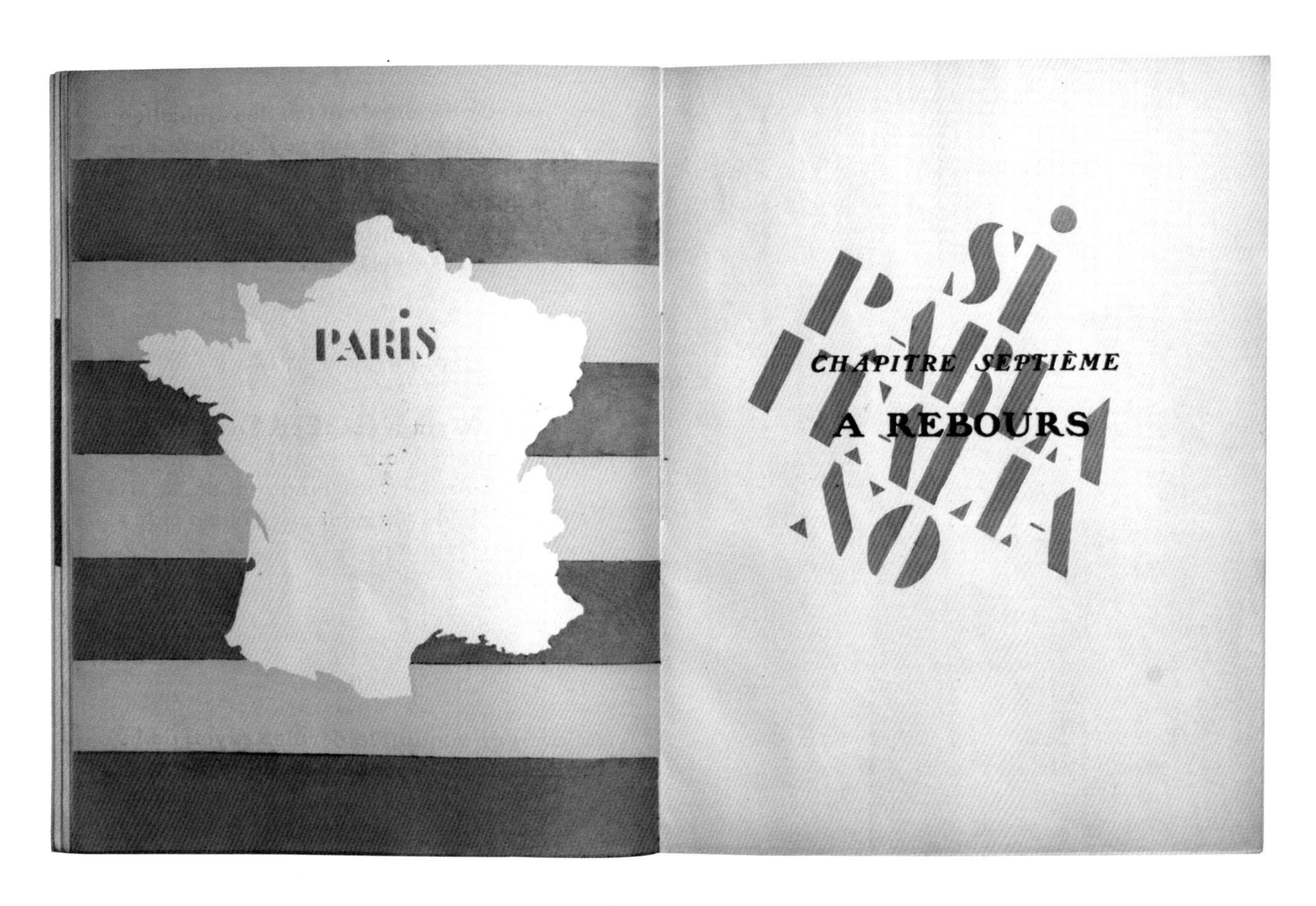

Blaise Cendrars, La Fin du monde filmée par l'ange Notre-Dame 1919, illustration de Fernand Léger, chapitre septième, « À REBOURS », La Sirène, Paris, 1919, Biot, Musée national Fernand Léger (cat. 52)

Blaise Cendrars, La Fin du monde filmée par l'ange Notre-Dame 1919, illustration de Fernand Léger, chapitre quatrième, « L'ANGE N.-D. OPÉRATEUR », La Sirène, Paris, 1919, Biot, Musée national Fernand Léger (cat. 52)

Fernand Léger, Esquisse pour « L'Homme au chien » 1920, huile sur toile, 65 x 46 cm,
Lille-Métropole, Villeneuve-d'Ascq, musée d'Art moderne, donation Geneviève et Jean Masurel, 1979 (cat. 16)

Fernand Léger, Les Hommes dans la ville 1919, huile sur toile, 65 x 54,3 cm, collection particulière (cat. 13)

FERNAND LÉGER, LE CIRQUE MÉDRANO 1918, huile sur toile, 58 x 94,5 cm,
Paris, Centre Georges Pompidou, Musée national d'Art moderne/Centre de création industrielle, legs de la baronne Eva Gourgaud, 1965 (cat. 11)

FERNAND LÉGER, *LA ROUE ROUGE* 1920, huile sur toile, 65 x 54 cm,
Paris, Centre Georges Pompidou, Musée national d'Art moderne/Centre de création industrielle, donation Louise et Michel Leiris, 1984 (cat. 15)

Fernand Léger, Le Drapeau 1919, huile sur toile, 82,1 x 98,2 cm, Riehen (Bâle), Suisse, Fondation Beyeler (cat. 14)

F.LÉGER

FERNAND LÉGER, PAYSAGE (PAGE DE GAUCHE) 1925, huile sur toile, 92 x 65 cm, collection particulière/courtesy galerie Louis Carré & Cie (cat. 25)

FERNAND LÉGER, L'HOMME AU CHANDAIL (CI-DESSUS) 1924, huile sur toile, 65 x 92 cm, collection particulière (cat. 23)

FERNAND LÉGER, L'INHUMAINE 1923, gouache, encre et crayon sur papier, 25 x 32,2 cm,
Biot, Musée national Fernand Léger, donation Georges Bauquier, 1995 (cat. 18)

FERNAND LÉGER, ÉTUDE DE COSTUME POUR « LA CRÉATION DU MONDE » 1924, gouache et crayon sur papier, 31,5 x 24 cm, Biot, Musée national Fernand Léger, achat en 1995 (cat. 19)

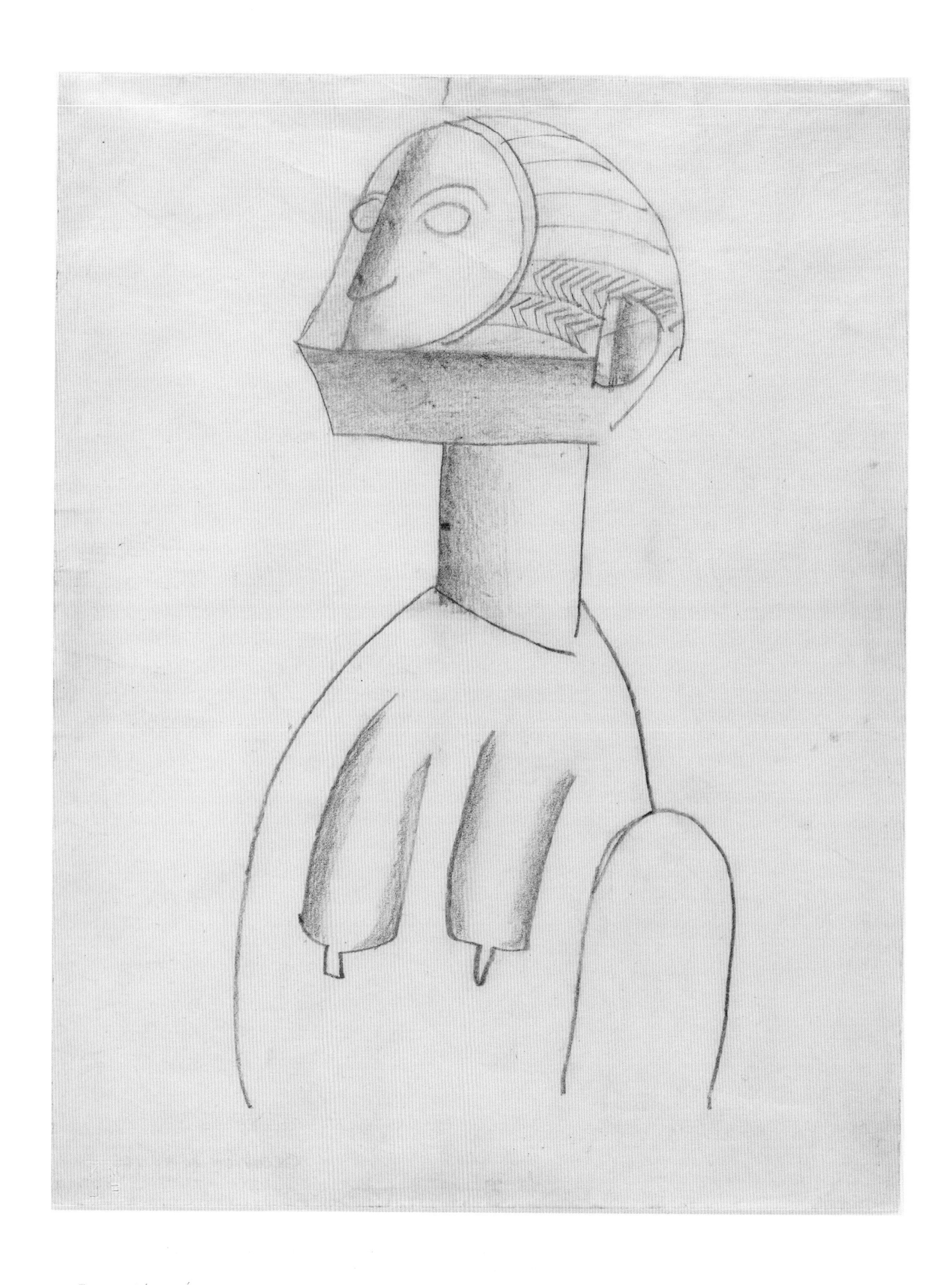

Fernand Léger, Étude de masque pour un costume du ballet « La Création du monde » Vers 1922, crayon sur papier, 27 x 21 cm, Biot, Musée national Fernand Léger, achat en 1998 (cat. 17)

Fernand Léger, Étude de costume pour « La Création du monde » 1924, gouache et crayon sur papier, 33 x 27 cm,
Biot, Musée national Fernand Léger, achat en 1995 (cat. 20)

Fernand Léger, Étude de costume pour « La Création du monde » 1924, gouache et crayon sur papier, 32 x 24,5 cm,
Biot, Musée national Fernand Léger, achat en 1995 (cat. 22)

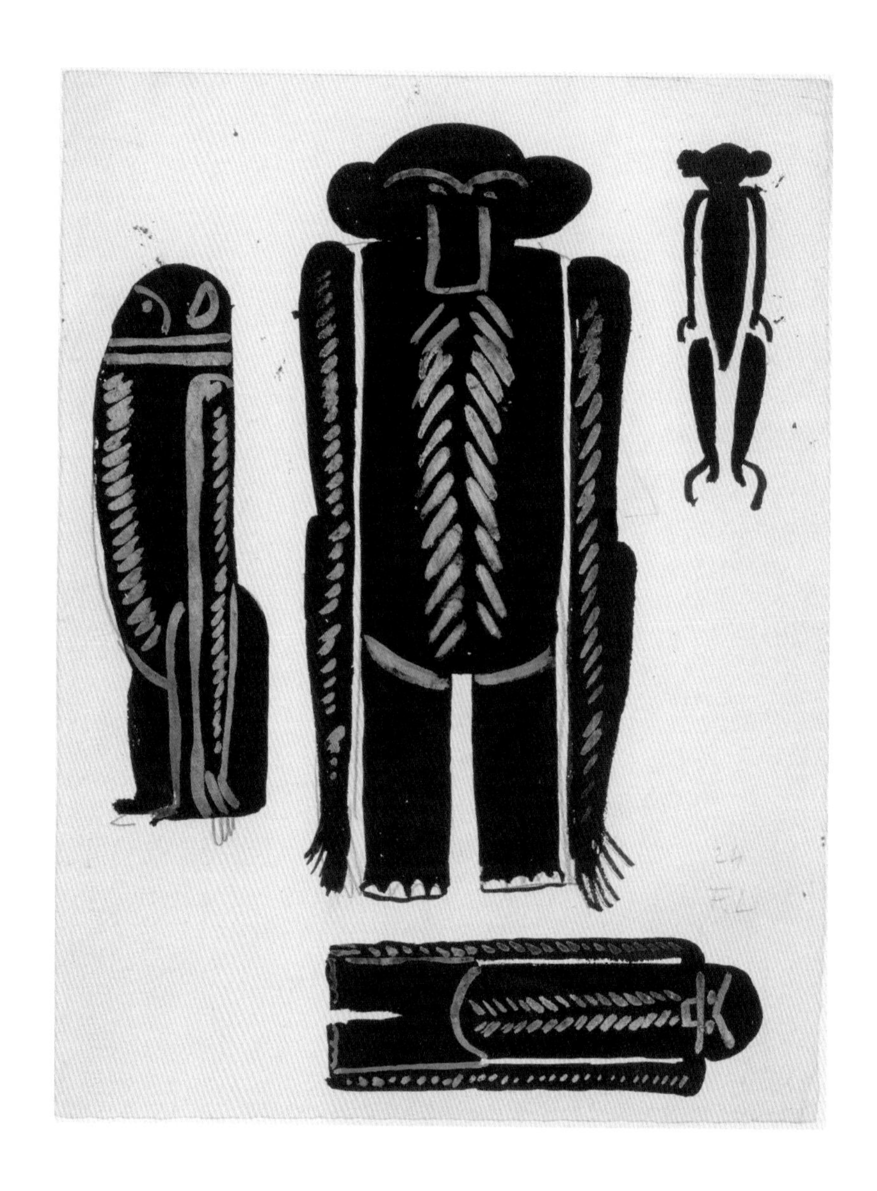

Fernand Léger, Étude de costume pour « La Création du Monde » 1924, gouache et crayon sur papier, 31,5 x 24 cm, Biot, Musée national Fernand Léger, achat en 1995 (cat. 21)

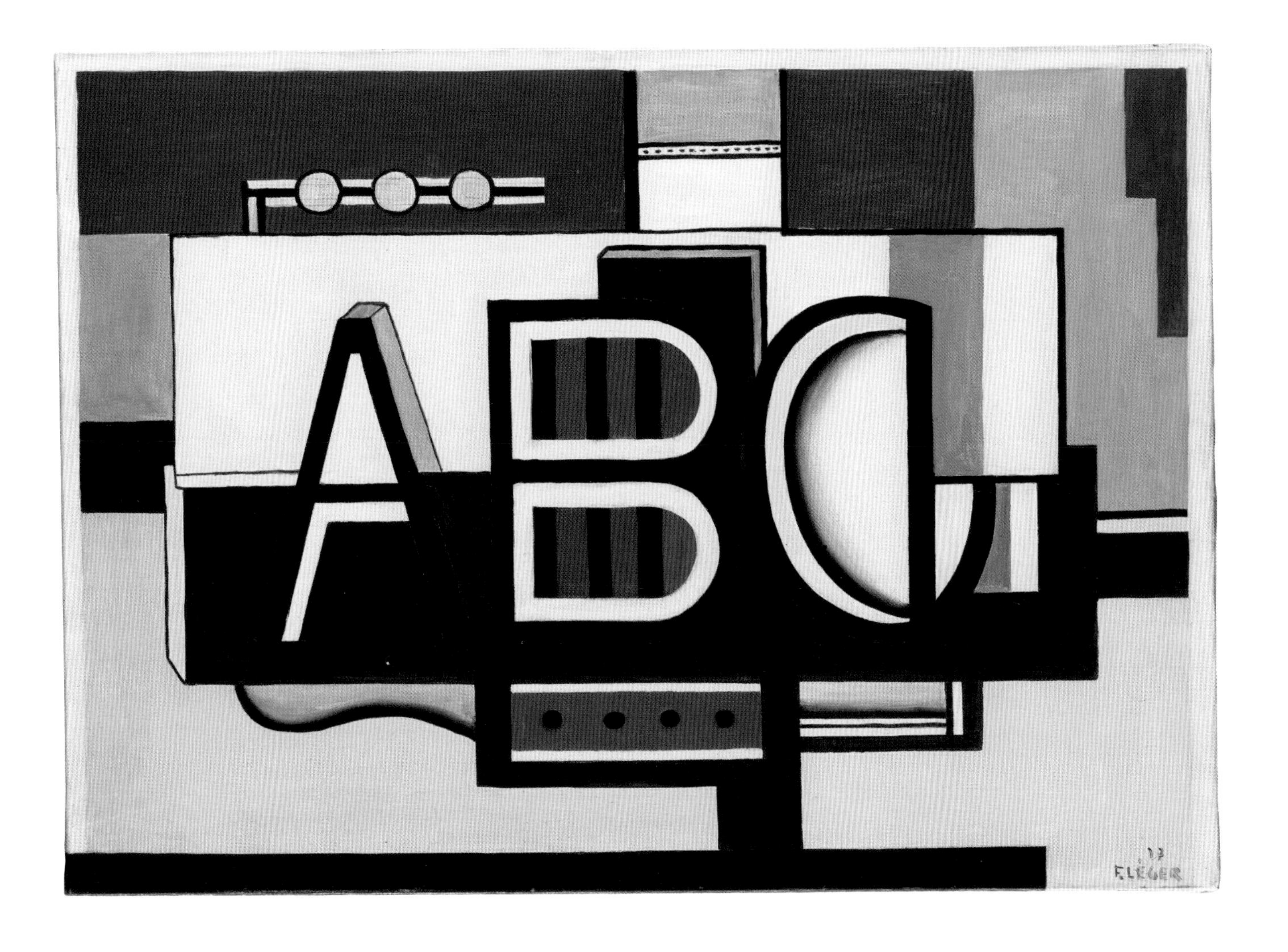

FERNAND LÉGER, NATURE MORTE, A.B.C. 1927, huile sur toile, 65 x 92 cm, Biot, Musée national Fernand Léger, donation Daniel-Henry Kahnweiler (cat. 26)

FERNAND LÉGER, PAYSAGE Vers 1951, gouache et crayon sur papier, 32,2 x 23,6 cm,
Biot, Musée national Fernand Léger, donation Nadia Léger et Georges Bauquier (cat. 30)

Fernand Léger, Une figure dans un paysage 1949, huile sur toile, 65 x 54 cm, musée de Lodève, dépôt privé permanent (cat. 29)

FERNAND LÉGER, MONTPARNASSE Planche lithographique n° 14 de l'album *La Ville*, Mourlot frères, 1959, exemplaire n° XV, hors commerce, Biot, Musée national Fernand Léger, donation Nadia Léger et Georges Bauquier (cat. 33)

FERNAND LÉGER, LE FRENCH CANCAN Planche lithographique n° 28 de l'album *La Ville*, Mourlot frères, 1959, exemplaire n° XV, hors commerce, Biot, Musée national Fernand Léger, donation Nadia Léger et Georges Bauquier (cat. 36)

CHAGALL

Chagall devant la fontaine de l'Observatoire, Paris, après 1911, © Archives Marc et Ida Chagall, Paris (cat. 175)

Fig. 1 Marc Chagall
Maternité, 1913
Huile sur toile, 194 x 115 cm
Amsterdam, Stedelijk Museum

Élisabeth Pacoud-Rème

ÉTATS D'ÂME

CHAGALL ET CENDRARS, DE L'AMITIÉ AU DOUTE

Quand Marc Chagall arrive à Paris en mai 1911 [1], l'intense créativité qu'il manifeste fait très vite de lui un peintre reconnu par l'avant-garde. Ses liens avec Cendrars ont contribué sans aucun doute à cette reconnaissance. Chagall s'installe d'abord impasse du Maine, au cœur du quartier du Montparnasse, dans un appartement où il dispose d'un salon assez cossu qu'il représente dans le tableau *L'Atelier*. Selon Franz Meyer, il y commence *À la Russie, aux ânes et aux autres* (Paris, MNAM), d'abord nommé *La Tante au ciel*, et *Dédié à ma fiancée* (Berne, Kunstmuseum), exposé au Salon des indépendants de 1912 sous le titre *La Lampe et les Deux Personnes*. Les deux tableaux doivent leur changement de titre à Cendrars qui vit dans le second le reflet de la mort accidentelle de sa fiancée russe, Hélène Kleinmann, en 1907 [2] – une intervention qui en dit long sur les relations personnelles entre les deux artistes.

En 1912, Chagall déménage à la Ruche : un logement plus modeste que le précédent, mais au loyer peu élevé et dont le propriétaire, Alfred Boucher, est peu regardant sur son versement régulier.
À la Ruche se sont succédés des artistes, comme Léger (entre 1909 et 1911), Modigliani, Archipenko, Lipchitz, Soutine, Sterenberg, Zadkine, ancien condisciple de Chagall au collège et chez Pen, où ils ont fait leur apprentissage de l'art, mais aussi des écrivains et des journalistes, tels que Lounatcharsky, futur commissaire du Narkompros, en charge des affaires culturelles après la révolution de 1917 en Russie. Comme le souligne Christine Le Quellec Cottier, les bonnes relations entamées à la Ruche seront précieuses plus tard à Chagall [3]. Lounatcharsky le soutiendra en effet dans ses activités après la révolution. Bien que l'artiste passe pour avoir peu participé aux fêtes organisées par les résidents, buveurs et coureurs, il est cependant présent à de nombreuses réunions. Ses rencontres dans le milieu du Montparnasse facilitent son adaptation à sa nouvelle vie.
Certains – écrivains, critiques, journalistes – jouent les intermédiaires. Selon Miriam Cendrars, ce serait Emil Szittya qui aurait proposé à Cendrars de rencontrer « un certain peintre qui travaille à la Ruche [4] ». C'est donc là qu'aurait eu lieu le premier contact entre les deux hommes, fin 1912 ou début 1913.

Celui-ci aurait été également possible dans les locaux de la revue *Montjoie !* dont le directeur, Ricciotto Canudo, a pris Chagall en affection. Il organise, dans son appartement, siège de la revue, des lundis où se retrouvent les Delaunay, Léger, Cendrars, Salmon et bientôt Chagall. Canudo improvise un accrochage des dessins de l'artiste [5] et invite tout le monde à venir les voir. Chagall y rencontre Apollinaire, que Cendrars amène à la Ruche dans l'atelier du peintre : il devient vite, lui aussi, un admirateur de l'artiste [6], à qui il ouvre les portes de sa nouvelle revue, *Les Soirées de Paris*, organe de l'avant-garde. Le poète Ludwig Rubiner, vieil ami anarchiste de Cendrars, qui l'a sans doute présenté à Chagall, devient également un intime de ce dernier.

Plusieurs peintres jouent un rôle important dans les débuts de Chagall à Paris. Robert et Sonia Delaunay, rencontrés eux aussi chez Canudo, reçoivent beaucoup dans leur salon à l'atmosphère plus bourgeoise. Les liens tissés alors avec Delaunay se poursuivront encore après la Première Guerre mondiale.

Marie Vassilieff, au centre de la vie artistique russe de Montparnasse, accueille Chagall dans son académie. Elle regroupe autour d'elle artistes et écrivains dans une ambiance de fête.

Un autre peintre d'Europe de l'Est, Moïse Kisling, originaire de Cracovie, arrivé à Paris en 1910, reçoit dans son atelier [7], un des hauts lieux de Montparnasse avant et après la guerre. On y voit les poètes Apollinaire, Max Jacob, Cocteau, Reverdy et, bien sûr, Cendrars, ainsi que des écrivains et des critiques, Salmon, Fels, Radiguet. Le fréquentent également les peintres Picasso, Derain, Pascin, Modigliani, Chirico, Picabia, Léger et tous les ressortissants d'Europe de l'Est, particulièrement ceux de la Ruche, dont Zadkine. Marc Chagall en est tout naturellement.

Ces réunions où les fêtes succèdent aux discussions sur l'art, chez les artistes, chez les écrivains, dans les locaux des revues amies, placent Chagall, malgré des difficultés certaines à comprendre le français au début de son séjour parisien, au cœur des mouvements intellectuels et artistiques de cette époque.

Avec Cendrars, les échanges sont plus intimes. Chagall connaît sa femme, Féla Poznanska, qu'il a rencontrée la première, dès 1911 [8], avant qu'elle épouse le poète. L'intimité avec le couple se manifeste à travers deux œuvres significatives, *Maternité*, de 1913 (fig. 1), dont le premier titre aurait été *Féla* [9], et la gouache *Féla et Odilon*, de 1914 (Washington, National Gallery). Les nombreux rendez-vous donnés par Cendrars dans les lettres conservées aux archives Marc et Ida Chagall favorisent le développement rapide d'une amitié où chacun trouve chez l'autre l'écho de ses propres interrogations.

Tous deux viennent d'ailleurs. Ils ont en commun le sentiment de ne pas appartenir au pays dans lequel ils vivent. Chagall n'imagine pas alors qu'il passera la majeure partie de sa vie en France. Cendrars, quant à lui, a déjà rejeté Frédéric-Louis Sauser, né en Suisse, au moment où il est devenu un homme nouveau en signant *Les Pâques à New York*. Entre eux, ils parlent russe ou un mélange de russe et de français. Chagall, qui ne disait pas un mot de français en arrivant à Paris et parle yiddish avec les Juifs de la Ruche, gardera un fort accent toute sa vie. L'aide de Cendrars et de Féla, ainsi que celle de Sonia Delaunay, elle aussi venue de Russie, facilite son apprentissage. Christine Le Quellec Cottier souligne [10] la volonté de Cendrars de devenir français en rejetant, au moment de la guerre, son accent, la neutralité suisse, sa compréhension de la langue des ennemis. La facilité et la volonté d'adaptation de Chagall lui feront ensuite, lors de son installation définitive en France, adopter une conduite similaire : il veut s'imprégner de son nouveau pays en le sillonnant par des séjours dans différentes régions. Il s'éloigne des Russes de Montparnasse. Il va même jusqu' à « franciser » son style de peinture. Les deux amis ont aussi en commun la connaissance de l'art russe, à un moindre degré bien sûr chez Cendrars. Ils ont tous deux beaucoup regardé les icônes et les *loubkis*, ces gravures satiriques si populaires en Russie autour desquelles Cendrars articulera plus tard un article [11]. Les dessins de Chagall illustrant la vie à Vitebsk rappellent à l'écrivain le séjour en Russie qui l'a marqué de manière irréversible.

James Johnson Sweeney, le premier, a mis en exergue [12] les similitudes entre la peinture de Chagall et la poésie de Cendrars. Il rapproche les images verbales du poète et les caractéristiques des tableaux contemporains de l'artiste pour en souligner les affinités. Il rappelle ensuite l'indifférence de Chagall au réalisme de l'impressionnisme et du cubisme [13], et rapporte cette phrase du peintre : « L'art semble être par-dessus tout un état d'âme », qui dit bien la vision du monde commune aux deux artistes.

Franz Meyer souligne lui aussi « la vivacité de leurs échanges [14] ». Il cite les nombreuses œuvres de Cendrars pleines d'allusions à Chagall – *Le Transsibérien*, bien sûr, où Cendrars affirme : « Comme mon ami Chagall, je pourrais faire une série de tableaux déments »,

Fig. 2 Marc Chagall
Moi et le village, 1911
Huile sur toile, 191,2 x 155 cm
New York, The Museum of Modern Art

Fig. 3 Marc Chagall
À la Russie, aux ânes et aux autres, 1911
Huile sur toile, 156 x 122 cm
Paris, Centre Georges Pompidou,
Musée national d'Art moderne/Centre de création industrielle

Le Panama ou les Aventures de mes sept oncles et les quelques-uns des *Dix-neuf poèmes élastiques* consacrés au peintre. Il rappelle enfin les passages de *Ma vie* où Chagall se souvient des visites de Cendrars à son atelier [15].
Leurs liens donnent donc à Cendrars le droit de titrer en français cinq tableaux de Chagall : *À la Russie, aux ânes et aux autres* (fig. 3), *Dédié à ma fiancée* (voir p. 27), *Le Village russe, de la lune* (États-Unis, collection particulière), *Le Saint Voiturier* (collection particulière), *Moi et le village* (New York, The Museum of Modern Art, fig. 2).
Emblématique de cette période d'intense activité créatrice, l'*Hommage à Apollinaire* (fig. 4) est à la fois significatif de l'évolution accomplie depuis son arrivée, et manifeste de la reconnaissance à ceux qui l'ont aidé à ses débuts à Paris et de son amitié pour Cendrars. La date portée sur le tableau est « 911 » à la manière russe, sans le millénaire. Il a été terminé ultérieurement, en 1913, comme l'indique le cartel en bas à gauche qui présente autour d'un cœur les noms de Cendrars, Canudo, Apollinaire et Walden, tous rencontrés plutôt cette année-là. Au milieu d'une sorte de cible qui évoque également une horloge, puisque le « 9 » et le « 11 » de la date y sont notés à la bonne place, s'inscrit un couple nu, ou plutôt un être double à deux torses, l'un féminin, l'autre masculin, muni de deux bras et deux jambes seulement. La main du torse féminin tient une pomme, allusion évidente à la faute. Cet être androgyne renvoie évidemment à la Genèse (Genèse, 2, 23). Pascal Rousseau a consacré une étude [16] au tableau et montré les affinités profondes entre l'art des deux hommes. Il y voit, bien sûr, une manifestation de l'androgyne primitif – « une déclinaison du mythe ancestral de la séparation du masculin et du féminin », dit-il. Le tableau est pour lui « un récit mythique de la "création du monde" », lequel renverrait à des « sources ésotériques » porteuses « d'une sexualité hyperbolique qui démultiplie les capacités reproductives : l'androgyne autogénète, l'être double qui se féconde et s'engendre lui-même ». Vision vivement ressentie par Cendrars, dit Pascal Rousseau, dans le premier *Portrait* qu'il consacre à Chagall :
« Il peint [...]
Avec toute la sexualité exacerbée de la province russe pour la France
Sans sensualité [...] »
Il souligne la dimension cosmogonique et musicale de l'œuvre qui rejoint la richesse cendrarsienne « du verbe coloré, celle des adjectifs chromatiques et des analogies biomorphiques dont l'accumulation délibérée construit une rhétorique du vertige ».

Fig. 4 Marc Chagall
Hommage à Apollinaire, 1911-1912
Huile sur toile, 200 x 189,5 cm
Eindhoven, Stedelijk Van Abbe Museum

Il conclut : « Cendrars est fasciné par les *Rythmes colorés* parce qu'ils représentent pour lui la forme inédite d'une langue proprement mythologique, susceptible de traduire enfin le mystère de la création même du monde. » Rythmes colorés que Cendrars découvre dans l'œuvre de Delaunay, alors en pleine élaboration de l'orphisme, et qu'il retrouve dans les tableaux de Chagall, interprétés de manière tout à fait personnelle.
Ce sont donc des états d'âme, des similitudes de la pensée, exprimée en raccourcis saisissants, des affinités du ressenti, traduits par les moyens différents de la poésie ou de la peinture, qui cimentent l'amitié de Chagall et Cendrars.
Cette amitié se traduit dans les faits : en 1914, Chagall signe un contrat avec Malpel, marchand de cadres et galeriste. « C'est Blaise qui traduit la lettre pour Chagall et qui l'accompagne, parce que Marc comprend encore mal le français, et avant d'aller au rendez-vous, en riant de bonheur, il s'exerce à signer correctement son nom en lettres latines sur une page de son carnet de dessins [17]. »
Cette amitié se manifeste aussi à l'occasion de la rencontre avec Herwarth Walden, directeur de la revue et de la galerie *Der Sturm* à Berlin, puisque plusieurs lettres, conservées aux archives Marc et Ida Chagall, montrent l'inquiétude de Cendrars pour les intérêts du peintre dans ses démarches avec le galeriste [18].

En 1913, Walden prévoit la tenue d'un Salon d'automne à Berlin. Il se rend à Paris avec sa femme, Nell. Ils y retrouvent Apollinaire, les Delaunay, rencontrés précédemment à Berlin, chez lesquels ils découvrent les artistes dont ils envisagent d'exposer bientôt les œuvres: Juan Gris, Fernand Léger et Marc Chagall [19] notamment. Ils font aussi la connaissance de Blaise Cendrars.
Le premier Salon d'automne allemand à la galerie *Der Sturm* présente donc *Dédié à ma fiancée*, *Golgotha* (intitulé alors *Dédié au Christ*), *À la Russie, aux ânes et aux autres*. Cendrars y est également présent avec la *Prose du Transsibérien et de la petite Jehanne de France*, exposé sous le nom de Sonia Delaunay-Terk qui en a assuré la partie picturale.
En mai-juin, c'est encore à Berlin, à la galerie *Der Sturm*, qu'a lieu la première exposition personnelle de Chagall. Une quarantaine de tableaux, réalisés depuis 1912, sont présentés à cette occasion, ainsi qu'une centaine de gouaches ; l'exposition reçoit un accueil flatteur [20].
L'artiste se rend à Berlin avec l'intention de continuer son voyage

vers l'est pour retrouver sa famille et sa fiancée. Il a quitté Paris en fermant au fil de fer sa porte à la Ruche, y laissant son fonds d'atelier. Pendant la Première Guerre mondiale, Chagall se trouve donc en Russie. Il épouse Bella qui lui donne bientôt une fille, Ida. En 1917, il adhère aux idéaux de la révolution russe et participe aux bouleversements de la société en devenant commissaire des Beaux-Arts de la région de Vitebsk. Il y crée une école d'art qu'il quitte après la fronde des professeurs suprématistes. Il s'installe alors à Moscou, où il peint le décor du théâtre juif. Il connaît bientôt de grandes difficultés matérielles. En 1922, il commence son autobiographie poétique, *Ma vie*. Pendant ce temps, à Paris, on le croit mort [21] et, à Dresde, un escroc se fait passer pour lui.

Quand lui parvient, en 1922, une lettre de Rubiner [22] : « Viens, ici, tu es célèbre », il se décide et repart vers l'ouest, sous le prétexte de participer à une exposition à Berlin [23]. Après une étape à Kaunas, il arrive à Berlin, où sa famille le rejoindra un peu plus tard. Il reçoit alors une lettre de Cendrars [24], « après des années de silence [25] », lui indiquant qu'Ambroise Vollard veut faire sa connaissance pour lui commander des illustrations.

Rubiner décède peu après l'arrivée de Chagall, mais celui-ci reste lié avec sa veuve, qui traduit en allemand, en 1922, le livre d'Efross et Tugendhold paru en 1918 en Russie, *L'Art de Marc Chagall* [26]. La publication des poèmes de Cendrars par *Der Sturm*, les ventes et une exposition en 1917 chez Walden, qui a fait fructifier son fonds Chagall pendant la guerre, ont contribué à faire connaître l'artiste en Allemagne. Son influence devient alors sensible dans le développement de l'expressionnisme et Kurt Schwitters lui dédie un poème, centré sur le tableau *Le Saoul*, lequel lui paraît être un manifeste Dada [27]. Max Ernst est également impressionné par Chagall lors de l'exposition de 1917 [28]. Il n'est donc pas étonnant qu'il ait fait partie, avec Éluard et sa femme, de la délégation surréaliste venue tenter d'enrôler le peintre en 1924. Enfin, dès son arrivée, Chagall expose d'abord à la galerie Van Diemen, avec d'autres artistes russes, puis seul dans la même galerie, rebaptisée « galerie Lutz ».

Chagall est donc reconnu, mais, des tableaux vendus par Walden, il ne reste rien que des sommes totalement dévaluées. Frustré, l'artiste se lance dans une procédure longue contre le galeriste, qui s'achèvera en 1926 par un arrangement lui permettant de récupérer *À la Russie, aux ânes et aux autres*, *Moi et le village* et *Le Poète* ou *Half Past Three* (Philadelphia Museum of Art). Malgré le procès, en 1923, Walden fait encore paraître un numéro entier de *Der Sturm* sur Chagall, avec un des poèmes de Cendrars.

Le peintre rencontre alors le marchand Paul Cassirer, rival de Walden, qui propose la traduction de *Ma vie*, illustrée par des gravures – une nouvelle technique qu'il travaille avec Hermann Struck. Le portfolio *Mein Leben* (*Ma vie*) est édité en 1923 avec les gravures de Chagall, mais sans le texte [29].

À Berlin, il peint peu et produit essentiellement des dessins et des gravures. Cette technique contraignante a-t-elle asséché temporairement son inspiration ? Pour Jackie Wullschlager, un changement s'amorce dès ce moment-là, lié aux difficultés d'adaptation entraînant de fortes tensions [30] aggravées par les problèmes matériels. Sa vie prend alors un double aspect qui durera jusqu'à la Seconde Guerre mondiale : d'un côté, le peintre à la mode, dont la femme parle parfaitement l'allemand, invité dans les milieux bourgeois amateurs d'art ; de l'autre, l'artiste émigré, intégré par Struck dans un milieu juif sioniste et sensible à l'antisémitisme déjà présent à Berlin. Bien que court, l'épisode berlinois, entre célébrité naissante et frustration, marquera donc profondément Chagall.

À l'automne, la famille Chagall s'installe définitivement à Paris, avenue d'Orléans, et le peintre découvre que l'atelier de la Ruche est vide ! Il pense que ses « soi-disant amis » ont vendu les œuvres laissées là en 1914, quand ils avaient besoin d'argent. Cendrars, il en est convaincu, est le plus à blâmer, car il a signé des certificats d'authenticité pour plusieurs toiles vendues par le critique d'art Gustave Coquiot, persuadé qu'il était mort [31]. Selon une autre version, ce dernier aurait gardé les peintures vendues par Cendrars [32]. Coquiot est devenu en tout cas le premier collectionneur français de Chagall ! Par ailleurs, était paru, Au Sans Pareil, en 1920, le livre de Philippe Soupault, *La Rose des vents*, avec des illustrations données par Cendrars : « Des dessins de Chagall dont il m'offrit quelques-uns qui me permirent d'illustrer un recueil de poèmes que je signai : *La Rose des vents* [33]... », écrira-t-il bien plus tard. Ces dessins avaient-ils tous été donnés par Chagall à Cendrars ?

En fait, il semble que Boucher, le propriétaire de la Ruche, avait vidé le studio des tableaux, dont l'un, racontera Chagall des années après, est finalement retrouvé dans un musée américain taché de fientes : il aurait servi à couvrir le toit du poulailler du concierge de la Ruche [34] ! Quoi qu'il en soit, suspicion et ressentiment ont désormais remplacé

la belle amitié d'avant-guerre entre Chagall et Cendrars. Par contre, le peintre ne semble pas garder rancune à Coquiot, dont il illustre *Suite provinciale* en 1927.
Pour Monica Bohm-Duchen, la double perte de ses tableaux, d'abord ceux de Walden, puis ceux qui ont disparu de la Ruche, qui a pourtant contribué à le faire connaître, explique son attitude soupçonneuse [35] dans ses relations d'affaires.
Cendrars cependant mène à son terme la rencontre avec Vollard, avec qui il entretient de bonnes relations. Jean-Paul Morel [36] mentionne un déjeuner où sont conviés, en 1923, au nouveau domicile-galerie de Vollard, de nombreux peintres parmi lesquels Picasso et Chagall [37] : Vollard savait, pour lancer ses nouveaux artistes, organiser des rencontres prestigieuses et en appeler à des critiques reconnus, parmi lesquels Coquiot [38], ami de Cendrars. Vollard demande d'emblée à Chagall d'illustrer par des gravures une édition des *Âmes mortes* de Gogol, puis viennent d'autres projets : *Les Fables* de la Fontaine, la Bible [39]. Ces nombreuses gravures occupent une large part du temps de l'artiste entre les deux guerres.
Les Chagall frayent désormais dans un cercle érudit et intellectuel, où ils retrouvent les Delaunay, Florent Fels, le critique André Salmon (qui parle russe) et Gustave Coquiot ; ils rencontrent Malraux et participent bientôt aux dimanches après-midi des Maritain, lors desquels ils revoient Max Jacob converti et Cocteau. Compte tenu de ce réseau commun de relations, Chagall continue-t-il à rencontrer Cendrars de temps en temps ou l'évite-t-il soigneusement ? Le peintre s'éloigne de toute façon du milieu de Montparnasse. De nouvelles fréquentations entraînent de nouvelles amitiés, en particulier avec Claire et Yvan Goll, dont il illustre les livres.
Et la réussite financière est enfin là : après une exposition, à la galerie Barbazanges-Hodebert, organisée par Pierre Matisse, Chagall expose chez Katia Granoff, puis signe en 1926 un contrat avec la galerie Bernheim-Jeune, qui lui assure un revenu régulier. Il s'installe villa Montmorency, à Auteuil.
Pendant les années vingt, Chagall passe l'essentiel de son temps à refaire les tableaux perdus, de mémoire ou en les empruntant à leurs propriétaires, malgré leur crainte d'une perte de valeur. Katia Granoff refuse ainsi de lui prêter les tableaux de sa collection [40] ! Mais les copies n'en sont pas vraiment : le rythme caractéristique des œuvres de la période russe est abandonné, l'aspect de la touche est plus conservateur et la couleur plus fondue, plus tendre. *Les Arlequins* et *Le Cirque* (Paris, MNAM), issus d'une copie de mémoire du décor du théâtre juif, peinte en 1922, puis coupée en 1944 après la mort de Bella, et *Le Marchand de bestiaux* du musée de Grenoble en sont de bons exemples.
Il convient de replacer ces œuvres dans le contexte du « retour à l'ordre », qui couvre les années vingt et trente, caractérisé par un réveil des traditions nationales [41] (retour au classicisme à Paris et Valori Plastici en Italie). Révélateur d'un antisémitisme latent dans la société française, le scandale [42] des *Fables* illustrées par Chagall participe aussi de ce mouvement. Comment faire quand on est juif, russe et immigré ? L'artiste fait le choix de la francisation et cherche à s'intégrer en adoptant les règles de mesure désormais prônées à Paris. Ce retour aux valeurs traditionnelles de l'art est visible aussi dans le choix de ses sujets, où la nature devient omniprésente avec les paysages et les fleurs. Il se manifeste enfin par un regard sur l'histoire de la peinture, et c'est en référence à la peinture espagnole que Chagall peint *Bella à l'œillet* (collection particulière).
En 1926, l'année même de la signature par Chagall du contrat avec Bernheim-Jeune, Cendrars prend ses distances avec la peinture dans le fameux *Pour prendre congé des peintres*, préface à un recueil d'extraits de Rudyard Kipling sur l'art. « Je suis de plus en plus convaincu que l'avenir de la jeune peinture française a été sérieusement compromis par les amateurs et les collectionneurs [43] », écrit-il. Le retour à l'ordre pose le problème du rôle de l'artiste dans la société [44]. Quand le purisme et Léger répondent qu'il doit travailler à offrir à tous la beauté sous une forme simple et harmonieuse, Picasso, qui a alors lâché le cubisme, et Chagall, qui s'attache à rendre plus française sa peinture, saisis tous deux d'une frénésie mondaine, répondent apparemment qu'il vend à des collectionneurs bourgeois grâce aux galeries ayant pignon sur rue. Le reproche de Cendrars aux peintres semble donc les viser particulièrement. Si on y ajoute ces mots ultérieurs, cités par Monica Bohm-Duchen [45] : « C'était quand Chagall avait du génie, avant la guerre de 14 » ou encore : « Tous ces peintres, millionnaires aujourd'hui, qui sont toujours en dette avec nous, pauvres poètes », on constate que la rupture entre les deux anciens amis est alors consommée.
Pourtant, Malraux, également leur ami commun, organise une réunion de réconciliation réussie [46] peu avant la mort de Cendrars, et Chagall évoque ensuite, dans *Le Figaro littéraire* [47], celui qui fut son ami avec ces quelques mots nostalgiques : « Ses poèmes, je les aime comme ma ville natale, comme mon passé, comme la lumière du soleil. »

Notes

1. Franz Meyer, *Marc Chagall*, Flammarion, 1964, p. 95, le fait arriver en 1910, comme Monica Bohm-Duchen, *Marc Chagall*, Londres, Phaidon, 1998, p. 42, Jakov Bruk, *Chagall, connu et inconnu*, cat. exp., Galeries nationales du Grand Palais, RMN, 2003, p. 19, à la fin du printemps 1911, et Jackie Wullschlager, *Chagall, Love and Exile*, Londres, Allen Lane, Penguin Group, 2008, p. 123, en mai 1911.
2. Au Salon des indépendants de 1911, le tableau fut décroché au bout d'une heure pour « indécence », selon Monica Bohm-Duchen, *Marc Chagall, op. cit.*, p. 98. Selon Franz Meyer, *Marc Chagall, op. cit.*, p. 154, la lampe était pour le censeur une allusion obscène et « Chagall dut accepter des modifications ».
3. Christine Le Quellec Cottier, « Blaise Cendrars et les avant-gardes allemandes avant 1914 », dans *Cendrars et les arts*, Presses universitaires de Valenciennes, 2002, p. 25.
4. Miriam Cendrars, *Blaise Cendrars*, Balland, 1984, p. 231.
5. *Idem*, p. 251, et Marc Chagall, *Ma vie*, traduction du russe par Bella Chagall, préface d'André Salmon, Stock, 1931, rééd. 1983, p. 156.
6. Guillaume Apollinaire publie le poème « Rotsoge », dédié à Chagall, dans la revue *Der Sturm* de mai 1914.
7. Henri Chudak, « Kisling, peintre d'origine polonaise dans l'entourage de Cendrars », dans *Cendrars et les arts, op. cit.*, p. 120 à 126.
8. Jackie Wullschlager, *Chagall, Love and Exile, op. cit.*, p. 156, évoque même une possible passade entre eux à ce moment-là.
9. *Idem*, p. 175.
10. Christine Le Quellec Cottier, « Blaise Cendrars et les avant-gardes allemandes avant 1914 », *op. cit.*, p. 33.
11. Miriam Cendrars, *Blaise Cendrars, op. cit.*, p. 293.
12. James Johnson Sweeney, *Chagall*, cat. exp., The Museum of Modern Art, New York, 1946, reproduit par Arno Press, 1969, p. 16 et 18.
13. Iakov Tugendhold, dans son article dans *Apollon*, souligne l'intérêt d'un art déjà très personnel qu'il juge incompatible avec les tendances cubistes de l'époque à Paris.
14. Franz Meyer, *Marc Chagall, op. cit.*, p. 145.
15. Marc Chagall, *Ma vie, op. cit.*, p. 156 et 157.
16. Pascal Rousseau, « La partition des couleurs », dans *Cendrars et les arts, op. cit.*, p. 103 à 106.
17. Miriam Cendrars, *Blaise Cendrars, op. cit.*, p. 251.
18. Voir lettre de Cendrars à Chagall du 28 août 1913, archives Marc et Ida Chagall.
19. Monica Bohm-Duchen, *Marc Chagall, op. cit.*, p. 90, et Franz Meyer, *Marc Chagall, op. cit.*, p. 147, signalent qu'Apollinaire a attiré l'attention de Walden sur Chagall.
20. Franz Meyer, *Marc Chagall, op. cit.*, p. 146. C'est alors que le tableau *Le Saint Voiturier* aurait été présenté par Walden la tête en bas, changement de sens ensuite entériné par l'artiste.
21. Lettre d'Illa Rebay à son frère, citée par B. Harshav, *Marc Chagall and his Times*, Stanford University Press, 2004, p. 311.
22. Marc Chagall, *Ma vie, op. cit.*, p. 246.
23. Lounatcharsky lui fait avoir un passeport, Kagan-Shabshay, collectionneur juif, paie le voyage et l'ambassadeur lituanien à Moscou, Baltrusaïtis, poète écrivant en russe, se charge du transport des œuvres.
24. B. Harshav, *Marc Chagall and his Times, op. cit.*, p. 317.
25. Monica Bohm-Duchen, *Marc Chagall, op. cit.*, p. 175.
26. Ouvrage publié par Boris Aaronson, plus tard connu sous le nom de « Lutz », Monica Bohm-Duchen, *Marc Chagall, op. cit.*, p. 159. Texte russe publié chez Gelikon.
27. Kurt Schwitters, *À un dessin de Marc Chagall. Poème n° 28*, dans *Anna Blume*, Champ Libre, 1994.
28. Franz Meyer, *Marc Chagall, op. cit.*, p. 315.
29. Le texte, publié en 1930 chez Stock, a été remanié plusieurs fois et change encore lors de la traduction, comme le montre B. Harshav, *Marc Chagall and his Times, op. cit.*, p. 90 et ss.
30. Jackie Wullschlager, *Chagall, Love and Exile, op. cit.*, p. 281.
31. Monica Bohm-Duchen, *Marc Chagall, op. cit.*, p. 175.
32. B. Harshav, *Marc Chagall and his Times, op. cit.*, p. 333.
33. Miriam Cendrars, *Blaise Cendrars, op. cit.*, p. 307, et Philippe Soupault, *La Rose des vents*, Mercure de France, 1963, rééd. Folio, p. 82-86.
34. Propos de Chagall recueillis par Jeanine Warnod, dans *L'École de Paris*, Arcadia Éditions et musée du Montparnasse, 2004, p. 204.
35. Monica Bohm-Duchen, *Marc Chagall, op. cit.*, p. 176.
36. Jean-Paul Morel, *C'était Ambroise Vollard*, Librairie Arthème Fayard, 2007, p. 248.
37. *Idem*, p. 486, à l'occasion d'un « prix des peintres » attribué à Paul Valery.
38. *Idem*, p. 354.
39. Les livres illustrés par Chagall projetés par Vollard ne seront édités qu'après-guerre par Tériade.
40. Monica Bohm-Duchen, *Marc Chagall, op. cit.*, p. 176.
41. Jean Laude, « Retour et/ou rappel à l'ordre ? », dans *Retour au classicisme, 1917-1923*, cat. exp., musée de Saint-Tropez, 2002, p. 31.
42. Jean-Paul Morel, *C'était Ambroise Vollard, op. cit.*, p. 497 à 504, en fait un compte rendu détaillé.
43. Blaise Cendrars, *Œuvres complètes*, tome IV, Denoël, 1962, p. 200.
44. Voir à ce sujet Jean Laude, « Retour et/ou rappel à l'ordre ? », *op. cit.*, p. 38.
45. Monica Bohm-Duchen, *Marc Chagall, op. cit.*, p. 175-176.
46. Jackie Wullschlager, *Chagall, Love and Exile, op. cit.*, p. 306, et Monica Bohm-Duchen, *Marc Chagall, op. cit.*, p. 176.
47. *Le Figaro littéraire*, n° 771, 28 janvier 1961, p. 6.

Blaise Cendrars à Marc Chagall
s.d., en russe, © Archives Marc et Ida Chagall, Paris (cat. 185)

Cher Chagall,

Aujourd'hui, le médecin est venu me voir.
Je ne peux pas quitter ma chambre.
Je n'irai donc pas au théâtre.
Apportez-moi s'il vous plaît des couleurs.
J'ai envie de travailler.
Votre Cendrars.

(Félicie continue)
Enfin ! Qu'est-ce qu'on avait comme calvaire avant de laisser venir le docteur, il les déteste tous et il a raison, mon chéri.
Est-ce que vous comprenez ce que notre cher poète vous bredouille en russe ?
Il est tout en douleur.
Est-ce que nous pourrons bientôt vous voir ?
Je voudrais avoir un de ces livres russes que vous m'avez conseillé de lire.
Vous entendez, Chagall, j'ai terriblement envie d'avoir ce livre.
Au revoir.
Félicie P.

[Petit Frédéric [1]]… saute de joie comme un enfant quand il regarde vos images.
Il se réjouit comme un enfant d'avoir bientôt les couleurs.

1. C'est peut-être le diminutif polonais du prénom de Cendrars (Frédéric-Louis Sauser).

Loudmila Khmelnistkaia

LETTRES DE BLAISE CENDRARS À MARC CHAGALL (MAI-OCTOBRE 1913)

« IL ÉTAIT LE LEVAIN DE SA GÉNÉRATION »

À la différence de Chagall, Blaise Cendrars, vers 1913, alors âgé de vingt-six ans, a pratiquement fait le tour du monde. Ilya Ehrenbourg l'a ainsi décrit : « Blaise Cendrars était un homme étonnant. On pourrait le considérer comme un aventurier romantique, si le mot "aventurier" n'avait pas perdu son sens authentique. Fils d'un Écossais et d'une Suisse, [c'était] un remarquable poète français qui a fort influencé Guillaume Apollinaire, l'homme qui a connu tous les métiers, fait le tour du monde... Lui, Cendrars, il était le levain de sa génération. À l'âge de seize ans, il est allé en Russie, puis en Chine, aux Indes, [est] retourné en Russie, [est] parti pour les États-Unis, le Canada, a été volontaire à la Légion étrangère, [a] perdu son bras droit à la guerre, [a] visité l'Argentine, le Brésil, le Paraguay, [a] travaillé comme chauffeur de poêles à Pékin, comme tractoriste et jongleur vagabond en France, [a] tourné le film *La Roue* avec Abel Gance, acheté la turquoise en Perse, fait de l'apiculture, écrit un livre sur Rimsky-Korsakov. Je ne l'ai jamais vu ravagé, décontenancé, désespéré [1]. »

Blaise Cendrars quitte New York pour Paris à l'été 1912. Il fonde avec l'écrivain Emil Szittya une maison d'édition et la revue intitulée *Les Hommes nouveaux*, dans laquelle sont publiés ses premiers textes : *Les Pâques à New York* et *Séquences* (avec un petit tirage : cent cinquante à cent soixante exemplaires). Entre 1912 et 1913, Cendrars fait la connaissance de Robert et Sonia Delaunay [2]. Cette dernière conçoit la maquette et réalise l'étui en daim pour son recueil *Les Pâques à New York*, aussi bien que des applications en papier pour sa couverture et le texte [3]. Peu après, Cendrars écrit la *Prose du Transsibérien et de la petite Jehanne de France*. Sonia Delaunay lui propose de l'illustrer. La peintre comme le poète ont en tête de créer un livre d'une forme tout à fait nouvelle : ne pas le diviser en pages, mais faire entrer l'intégralité du texte sur une surface plane et l'accompagner « d'une harmonie de couleurs qui se développerait parallèlement au texte du poème [4] ».

À cette époque, Cendrars fréquente activement le milieu artistique et littéraire de la bohème parisienne : Guillaume Apollinaire, Gustave Le Rouge, Ricciotto Canudo, Amedeo Modigliani, Fernand Léger, Léopold Survage, etc. Marc Chagall en fait aussi partie.

La rencontre de Cendrars et Apollinaire

On ne sait pas exactement à quand remonte la rencontre de Cendrars avec Chagall. La première lettre connue de leur correspondance date de la mi-mai 1913. La rencontre a donc, sans doute, eu lieu plus tôt, mais pas avant le début de l'année 1913.

Malgré le portrait au crayon d'Apollinaire (Paris, MNAM) dessiné par Chagall en 1911, nous pouvons constater, grâce aux lettres de Iakov Tugendhold adressées à Chagall, qu'au début de février 1913, ce dernier n'a pas encore été présenté au poète. Dans une lettre à Chagall (Moscou, 16-29 avril 1913), Tugendhold écrit : « Je suis content que vous ayez fait la connaissance d'Apollinaire. Je vous conseille vraiment de faire une exposition à Berlin [5]. » La dernière rencontre de Chagall et Tugendhold a lieu à Paris le 7 février 1913, quand Chagall l'accompagne à la gare [6]. Pendant son séjour à Paris, de 1911 à 1913, Tugendhold entretient des contacts étroits avec le peintre : il est son homme de confiance et son conseiller dans plusieurs affaires, et, évidemment, il est admis dans son cercle. D'où la conclusion que Chagall a été présenté à Apollinaire soit à la fin de l'hiver, soit au début du printemps 1913, et donc qu'il est peu probable que l'artiste ait été en contact avec Cendrars plus tôt.

Dans la seconde moitié du mois de mars 1913, Nell et Herwarth Walden séjournent à Paris où ils fréquentent les Delaunay et leurs amis : Apollinaire, Rubiner et Cendrars [7]. Apollinaire rencontre, sans doute, Chagall juste avant. Ce dernier est présenté à Walden et reçoit l'invitation à participer au premier Salon d'automne organisé en Allemagne.

Le rapprochement de Chagall avec Apollinaire n'est pas aussi immédiat qu'avec Cendrars. « J'étais toujours géné en compagnie d'Apollinaire, bien qu'il m'attirasse beaucoup », avouera plus tard le peintre [8]. C'est en mars 1913 que paraît le recueil *Alcools* d'Apollinaire. Cendrars et Chagall, par contre, établissent rapidement des relations étroites et mènent une correspondance active. En mai 1913, le poète habite au 4, rue de Savoie, et les deux amis recourent au courrier pneumatique pour échanger des messages. C'est Félicie Poznanska (Felicja, Féla, Poznanska), Juive polonaise de Lodz qu'il a rencontrée en 1908 en Suisse, qui l'aide à écrire ses lettres à Chagall. Le 16 septembre, Cendrars et Félicie se marient à la mairie du VIe arrondissement de Paris. À cette époque, ne connaissant pas aussi bien le russe que l'on a coutume de le croire, Cendrars ne fait souvent que signer en russe ses lettres à Chagall.

Les Ballets russes à Paris

Dans la correspondance échangée entre Cendrars et Chagall en mai-juin 1913, apparaît souvent le mot « théâtre ». Dans sa lettre du 27 mai, l'écrivain parle « du concert de Kouznetsov » et ajoute : « Après le concert, j'irai chez vous pour m'habiller pour le théâtre. » Le 24 juin, Félicie Poznanska écrit à Chagall : « Moi, je vous ai maudit pendant une heure devant le Théâtre des Champs-Élysées. Si vous avez oublié, c'était là que nous avions fixé notre rendez-vous [9]. » Dans les archives Marc et Ida Chagall se trouve une lettre inédite que l'on peut dater probablement aussi de mai-juin 1913 : « Aujourd'hui, le médecin est venu me voir. Je ne peux pas quitter ma chambre. Je n'irai donc pas au théâtre. Apportez-moi s'il vous plaît des couleurs. J'ai envie de travailler [10]. »

Dans ces différentes lettres, il s'agit apparemment des spectacles présentés par Serge Diaghilev à Paris. En effet, le 15 mai 1913, c'est au Théâtre des Champs-Élysées que la troupe de Diaghilev ouvre la huitième saison des Ballets russes...

Le 7 mai, Chagall et Cendrars auraient pu aller voir ensemble l'opéra de Moussorgski *Boris Godounov*. En effet, le rendez-vous raté de Félicie Poznanska avec Chagall, « devant le Théâtre des Champs-Élysées », est fixé au 23 juin, le jour de clôture de la huitième saison des Ballets russes.

Les préparatifs du Salon d'automne en Allemagne

Durant l'été 1913, Cendrars commence à travailler sur le poème « Le Panama ou les Aventures de mes sept oncles ». Il quitte Paris pour la banlieue, ce qu'il indique en signant ses œuvres : « Paris et sa banlieue, Saint-Cloud, Sèvre, Montmorency, Courbevoie, Bougival, Rueil, Montrouge, Saint-Denis, Vincennes, Étampes, Melun, Saint-Martin, Méréville, Barbizon, Forges-en-Bière. Juin 1913-juin 1914 [11]. » En juin-août 1913, Chagall reçoit des lettres de Cendrars venant de Saint-Cloud. À cette époque, le poète joue le rôle d'intermédiaire dans les relations entre Chagall et Walden qui prépare le Salon d'automne allemand. Deux lettres datées des 28 juillet et 23 août 1913 portent des étiquettes faisant de la publicité pour la future exposition à Berlin : *ERSTER DEUTSCHER HERBSTSALON. 20. SEPT. – I. NOV. 1913. BERLIN. POTSDAMERSTR. 75. ZEITSCHRIFT DER STURM.*

Dans sa lettre du 28 juillet, Cendrars demande à Chagall s'il a déjà envoyé ses peintures à Walden. Dans celle du 23 août, il fait savoir à son ami qu'il a « reçu la lettre de Walden qui a accepté "les dédiés" et demande les prix des tableaux ». Cendrars y ajoute qu'il a indiqué lui-même les prix des toiles de Chagall : 1000, 1500 et 2000 francs. Au premier Salon d'automne allemand, l'artiste présentera trois œuvres : *Dédié à ma fiancée* (1911), *Golgotha* (1912) et *À la Russie, aux ânes et aux autres* (1911). Dans le catalogue de l'exposition, elles figurent sous les titres : *Meiner Braut gewidmet*, *Christus gewidmet*, *Russland, den Eseln und den Anderen* [12]. Deux œuvres au moins donc sont des « dédiés à ».

Deux de ces trois tableaux sont exposés en 1912, au XXVIIIe Salon des indépendants, mais différemment intitulés : *Dédié à ma fiancée* est sous le titre de *La Lampe et les Deux Personnes* et *À la Russie, aux ânes et aux autres* s'appelle *La Tante au ciel*. C'est Cendrars qui leur donne ces nouveaux titres en 1913, restés depuis inchangés.

Mais la phrase mentionnant que Walden a accepté les « dédiés à [13] » peut se rapporter plutôt à la toile « dédiée au Christ ». Cette œuvre intitulée alors *Golgotha* a été montrée au Xe Salon d'automne, en 1912. Il est possible qu'à l'été 1913, Chagall ait changé son titre sous l'influence de Cendrars qui s'adresse au personnage du Christ, non pas seulement dans son poème « Les Pâques à New York », mais aussi dans bien d'autres œuvres. En août 1913, il écrit « Journal », lequel ouvre le cycle des *Dix-neuf poèmes élastiques*. La première strophe témoigne du retour du poète à sa méditation sur le Christ, faisant surgir dans la mémoire sa lettre à Chagall – celle où Cendrars, malade, demande au peintre de lui apporter des couleurs :

« Christ
Voici plus d'un an que je n'ai plus pensé à Vous
Depuis que j'ai écrit mon avant-dernier poème *Pâques*
Ma vie a bien changé depuis
Mais je suis toujours le même
J'ai même voulu devenir peintre
Voici les tableaux que j'ai faits et qui ce soir pendent aux murs
Ils m'ouvrent d'étranges vues sur moi-même qui me font penser à Vous. »

Partageant probablement avec Chagall ses réflexions sur les supplices du Christ, Cendrars change le titre du tableau *Golgotha*. Mais il doit pourtant le faire concorder avec celui accepté par Walden : en effet, l'œuvre de Chagall suscite souvent une impression ambiguë auprès du public occidental. Iakov Tugendhold en parle très clairement :

« Ces isbas multicolores et tortueuses avec un cercueil au milieu de la rue, un violoniste raclant sur le toit, ce crucifix de couleurs rouge sang et rouge feu, Judas emportant une échelle – tout cela rebutait les gens par leur expression grossière, la primauté du sujet, la criaillerie des couleurs. En même temps, il est impossible de ne pas les remarquer et de ne pas aspirer leur arôme aigu : on y ressent une force triomphale d'un grand talent, d'un talent étrange. "Tiens, il y a quelque chose. C'est très curieux!", disaient les Français. C'est vrai, Chagall a quelque chose d'inexplicable pour les Européens. C'est pourquoi il est "curieux", à leur avis, comme ils croient curieux ce qu'ils voient dans la musique "barbarement" polychrome des Ballets russes [14]. »

Chagall et Romm

Chagall passe l'été 1913 à Paris. À partir de 1912, le peintre Alexandre Romm qui y séjourne aussi est témoin de ses premiers succès. Dans ses mémoires, Romm écrit : « Je l'ai revu un an plus tard en passant de la gare à la Ruche, derrière la Porte d'Orléans. Une longue chambre étroite avec des soupentes pour le lit, sale et encombrée de papiers, de dessins, de toutes sortes de vieilleries dont la lampe à pétrole est souvent un des détails de ses tableaux. »

Chagall commence à être connu : on lui assigne un mur dans la salle des cubistes au Salon d'automne. Tugendhold le soutient ardemment. Le peintre travaille toute la nuit. Au matin, une ou deux toiles sont terminées : les unes sont raffinées comme des miniatures iraniennes, les autres ne sont que négligemment esquissées. Il se lève tard : les cheveux ébouriffés, il retrouve ses peintures parmi les assiettes sales, les croûtes de pain, les tas de papiers ; il les observe en clignant les yeux et, de sa voix un peu nasillarde, dit en feignant la naïveté : « Oh ! Tu vois ce que j'ai fait… tu vois quelles horreurs ! (d'un ton mystérieux) C'est moi-même, c'est ma pauvre ruelle. »

Après avoir bu du vin bon marché, Chagall va au musée, à Chantilly. Il regarde les tableaux avec un certain attendrissement et des soupirs, mais sans la piété ordinaire que manifeste la mégalomanie de l'époque d'une génération de demi-amateurs qui veut renverser le fardeau académique.

En ce qui concerne Chagall, c'est plutôt l'effusion des sentiments filiaux. Il se promène parmi les maîtres de l'école française comme s'ils étaient les *mehutonim* [15] à son mariage, accompagné de la muse de la peinture – de la peinture française, évidemment : celle de Corot,

Delacroix, Manet, Renoir, le dessin de Toulouse-Lautrec, qui lui sont sacrés. Il fait des pastiches à la Corot, mais les cache aux regards étrangers.
La première exposition personnelle de Chagall a lieu au début de l'année 1913, dans l'atelier de Marie Vassilieff où est organisée une soirée dont les frais sont partagés. Au printemps 1913, Chagall et Romm songent à partir en Italie l'été suivant. L'idée de ce voyage revient probablement à Tugendhold. Dans une lettre à Chagall du 16-29 avril 1913, Tugendhold écrit de Moscou : « Où pensez-vous aller en été ? Si vous voulez, je peux écrire à Syrkine à Pétersbourg pour qu'on vous donne [de l'argent] pour l'Italie ? » Dans une autre, datée du 22 juin-5 juillet 1913, il poursuit : « J'ai récemment parlé à Vinaver. Après notre discussion, il m'a demandé de vous écrire qu'il allait continuer de vous payer la bourse encore un an. Il a aussi accepté votre déménagement en Italie ! À vrai dire, j'ai été gêné et n'ai pas parlé de votre billet. Je vais lui écrire aujourd'hui pour qu'il vous ajoute 100 francs pour le billet en Italie. Je suis très content pour vous, mon cher, Vinaver est bien disposé envers vous [16]. »
Le 9-22 juillet, Tugendhold écrit encore à Chagall pour l'informer que Vinaver accepte de financer son voyage et y joint la lettre du mécène : « Je suis d'accord pour offrir à Chagall la possibilité d'aller à Florence. Proposez-lui, s'il vous plaît, de m'écrire (je n'ai pas son adresse) combien [d'argent] lui faut-il pour le voyage [17]? »
Le voyage de Chagall en Italie n'a pas lieu pour des raisons inconnues (aucune n'est évoquée dans sa correspondance). Au cours de la dernière décade de juin 1913, Alexandre Romm quitte seul Paris pour l'Italie. Leur rencontre suivante n'aura lieu qu'en 1916 à Petrograd.
Chagall tient toujours beaucoup à l'amitié de Iakov Tugendhold qui continue de « le soutenir ardemment » en Russie. Grâce à celui-ci, il participe à l'exposition « Michène » (« La Cible ») en mars-avril 1913. Tugendhold se rend bientôt à l'étranger. La Première Guerre mondiale le trouve à Paris, d'où il repartira pour la Russie avec beaucoup de difficultés.

Le premier Salon d'automne allemand

Le 20 septembre 1913, à Berlin, est inauguré le premier Salon d'automne allemand – c'est un grand événement artistique national (il n'y en aura jamais de deuxième). L'exposition qui occupe un espace de 1200 m² accueille environ quatre-vingt-dix artistes venant de France, d'Allemagne, de Russie, de Hollande, de Suisse, d'Italie, d'Autriche, de Tchécoslovaquie et des États-Unis [18].
L'exposition principale est consacrée à Henri Rousseau, décédé en 1910. Une place particulière est réservée aux œuvres de Robert et Sonia Delaunay, Franz Marc, Vassili Kandinsky, aux dessins de Paul Klee et Alfred Kubin, au « paysan russe » Pavel Kovalenko et aux peintres japonais, chinois, turques, indiens. Parmi les artistes d'origine russe présents à cette manifestation, outre Chagall, Kandinsky et Sonia Delaunay, participent Archipenko, Bekhtéev, David et Vladimir Bourliouk, Gontcharova, Yavlenski, Koulbine, Larionov, Moguilevski et Vérevkina [19].
Le Salon d'automne allemand ne remporte pas de succès commercial : il y a peu de public et les artistes sont critiqués de tous les côtés. En novembre 1913, l'artiste Margarita Chapchal écrit dans un journal de Paris : « J'ai trouvé Chagall très talentueux bien qu'il soit jeune. » Dans le milieu des avant-gardes, le premier Salon d'automne allemand est accueilli avec enthousiasme. Apollinaire le baptise « premier salon d'orphisme ». C'est à cette exposition qu'a lieu la première vente des œuvres de Chagall en Allemagne : l'industriel et collectionneur Bernard Keller, mécène du « Blaue Reiter » (« Cavalier bleu »), achète le tableau *Golgotha*. En octobre 1913, Walden publie le programme de l'activité de sa galerie où il annonce les expositions de Macke, Kandinsky, Yavlensky, Delaunay et Chagall [20].

Dix-neuf poèmes élastiques

Au cours de l'été et de l'automne 1913, Cendrars travaille sur les poèmes qui feront plus tard partie du recueil *Dix-neuf poèmes élastiques* édité en 1919 à Paris.
Dans sa « Notule d'histoire littéraire » (1912-1914), il écrit : « Nés à l'occasion d'une rencontre, d'une amitié, d'un tableau, d'une polémique ou d'une lecture, les quelques poèmes qui précèdent appartiennent au genre si décrié des poèmes de circonstance [21]. »
La plupart de ces poèmes sont publiés juste après leur création dans des revues françaises et allemandes.
La dernière lettre de Cendrars à Chagall en 1913 date du 31 octobre. Ce court message du poète demandant à l'artiste de venir le voir est écrit au revers d'une carte postale reproduisant un tableau de Robert Delaunay intitulé *Tour* et accompagné d'un vers de Guillaume Apollinaire. Probablement inspiré par cette image, Cendrars compose en août 1913 son poème « Tour », qu'il dédie à Delaunay. Walden

réagit sans délai à sa lecture et le publie dans la revue *Der Sturm* en novembre 1913.
Deux poèmes de Cendrars dédiés à Chagall, « Portrait » et « Atelier », datent aussi du mois d'octobre 1913[22]. En recevant la carte, Chagall est probablement déjà au courant de leur existence. Cette invitation a-t-elle pour but la lecture de ces poèmes ? Malheureusement, cette question n'aura jamais de réponse.

Notes
1. Ilya Ehrenbourg, *Les Hommes, les Années, la Vie*, t. 1. ; *Écrivain soviétique*, 1990, p. 182.
2. La date à laquelle Sonia Delaunay et Cendrars se rencontrent n'est pas connue avec exactitude. D'après une version, elle aurait eu lieu en décembre 1912, chez Apollinaire : Sonia Delaunay, *Nous irons jusqu'au soleil*, avec la collaboration de J. Damas et de P. Raynaud, Robert Laffont, 1978, p. 53 ; Sonia Delaunay, *A Retrospective*, Albright-Knox Art Gallery, Buffalo, New York, 1980, p. 112.
3. C'est Frans Masereel qui a réalisé les lithographies de l'édition du poème en 1926.
4. Sonia Delaunay, *Nous irons jusqu'au soleil*, *op. cit.*, p. 54.
5. Lettre inédite de Iakov Tugendhold à Marc Chagall, archives Marc et Ida Chagall.
6. Lettre inédite, archives Marc et Ida Chagall.
7. K. Hille, *Marc Chagall und das deutsche Publikum*, Cologne, Böhlau Verlag GmbH & Cie, 2005, p. 24.
8. E. Roditi, « Dialogues sur l'art : Marc Chagall », traduction de l'allemand de Béloded, *Bulletin du musée Marc Chagall*, 2002.
9. Lettre inédite, archives Marc et Ida Chagall.
10. Lettre inédite, archives Marc et Ida Chagall
11. Blaise Cendrars, *Du monde entier au cœur du monde*, traduction de M. Koudinova, M. Naouka, 1971, p. 52.
12. « Erster Deutscher Herbstsalon, Berlin », *Der Sturm*, 1913, p. 75-77.
13. Après discussions, la traduction de la lettre est modifiée :
« 23.08.1913
Mon cher
J'ai eu la lettre de Walden. Il accepte le [les] consacré[s]. Il demande les prix des tableaux. Je lui ai écrit : 1 000, 1 500, 2 000 francs. L'article de Rivers, 7, rue de Corneille, le texte sur le cubisme, est dans le dernier numéro de *Sturm* (toute la biographie). Lundi, je serai en ville. Écrivez-moi à l'adresse : 4, rue de Savoie, quand et où nous pourrons nous rencontrer.
Avec mes meilleurs vœux,
Blaise Cendrars. »
14. Iakov Tugendhold, « Marc Chagall », *Apollon*, février 1916, n° 2, p. 11.
15. Terme yiddish qui désigne les parents du fiancé et de la fiancée.
16. Lettre inédite, archives Marc et Ida Chagall.
17. Lettre inédite, archives Marc et Ida Chagall.
18. Dans le catalogue de l'exposition était mentionné non pas le pays de naissance de l'artiste, mais celui où il résidait. Chagall a donc été présenté comme un artiste parisien.
19. *Erster Deutscher Herbstsalon*, Berlin, 1913, p. 11-31.
20. *Der Sturm*, Berlin-Paris, octobre 1913, nos 180-181.
21. Blaise Cendrars, *Du monde entier au cœur du monde*, *op. cit.*, p. 215.
22. Les poèmes de Cendrars dédiés à Chagall ont paru pour la première fois en février 1914, dans la revue *Der Sturm* (nos 198-199). Walden les a ensuite publiés à plusieurs reprises en allemand (traduction de Rudolf Blumner). En 1919, ils ont fait partie du recueil *Dix-neuf poèmes élastiques*.

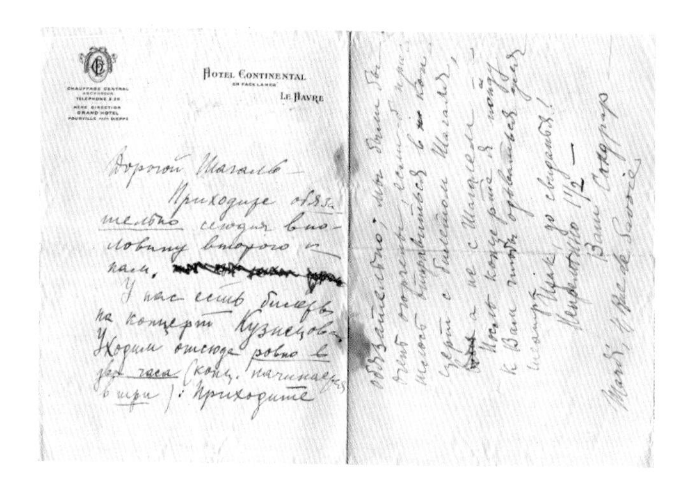

Blaise Cendrars à Marc Chagall
27-5-1913, en russe, © Archives Marc et Ida Chagall, Paris (cat. 178)

Cher Chagall,
Venez obligatoirement chez nous à une heure et demie.
Nous avons des billets pour le concert de Kousnetsov.
Nous partirons de chez nous à deux heures pile
(le concert commence à trois heures). Venez obligatoirement.
Nous serions fort chagrinés si nous allions au concert
avec le billet de Chagall mais sans Chagall…
Après le concert, j'irai chez vous pour m'habiller pour le théâtre.
Au revoir.
À une heure et demie.
Votre Cendrars
Mardi, 4, rue de Savoie

Blaise Cendrars à Marc Chagall
28-7-1913, en russe, © Archives Marc et Ida Chagall, Paris (cat. 179)

Monsieur M. Chagall
2, passage Dantzig
Paris
La Ruche
(lettre de Félicie)

Cher Chagall,
Je regrette de ne pas vous voir jusqu'à présent.
Je travaille beaucoup et veux bien rester
un moment solitaire.
Walden m'a demandé si vous aviez déjà envoyé les tableaux.
Il les attend
(ça fait déjà quelques jours que j'ai reçu sa lettre).
Si vous avez le temps, venez nous voir, sinon,
j'essaierai de venir chez vous jeudi.
(Cendrars ajoute)
Je vous embrasse.
Cendrars

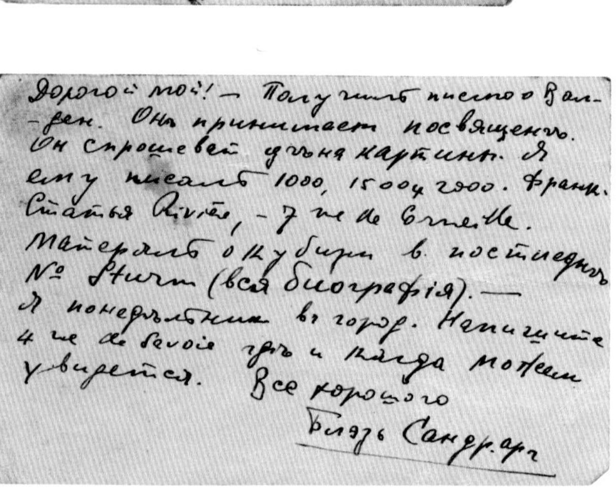

Blaise Cendrars à Marc Chagall
23-8-1913, en russe, © Archives Marc et Ida Chagall, Paris (cat. 180)

Monsieur M. Chagall
Paris
1, passage Dantzig
La Ruche

Mon cher,
J'ai eu la lettre de Walden. Il reçoit celui concerné.
Il demande les prix des tableaux. Je lui ai écrit : 1000, 1500, 2000 francs.
L'article de Rivière, - 7 rue de Grenelle.
Le texte sur cubisme dans le dernier N° de Sturm (toute la biographie).
Lundi je serai en ville. Écrivez-moi à l'adresse 4 rue de Savoie, quand et où nous pourrons nous rencontrer.
Avec mes meilleurs vœux,
Blaise Cendrars

Au nord au sud
Zénith nadir
Et les grands cris de l'est
L'Océan à l'ouest se goufle
La tour à la roue
S'adresse
Guillaume Apollinaire

Carte postale de Blaise Cendrars
à Marc Chagall (recto verso)
31-10-1913, en russe,
© Archives Marc et Ida Chagall, Paris
(cat. 181)

Venez, s'il vous plaît,
nous voir samedi,
vers 8h du soir à l'hôtel Jacob.

Votre Cendrars.

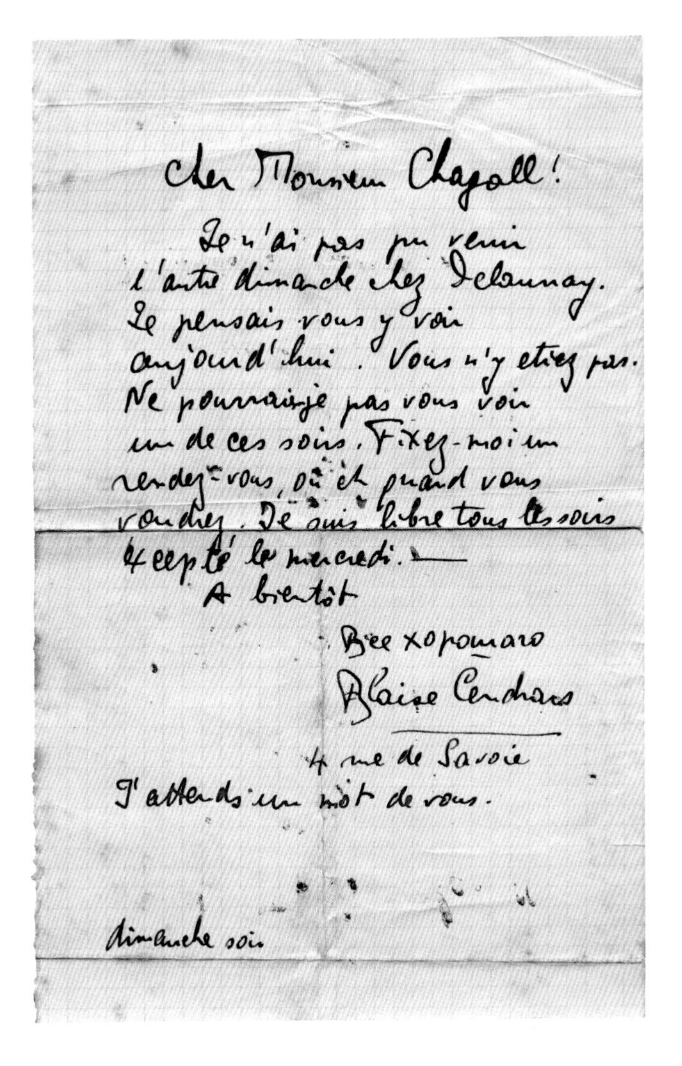

Cher Monsieur Chagall!

Je n'ai pas pu venir
l'autre dimanche chez Delaunay.
Je pensais vous y voir
aujourd'hui. Vous n'y etiez pas.
Ne pourrais-je pas vous voir
un de ces soirs. Fixez-moi un
rendez-vous, où et quand vous
voudrez. Je suis libre tous les soirs
excepté le mercredi.—
A bientôt

Всех хорошаго

Blaise Cendrars

4 rue de Savoie
J'attends un mot de vous.

dimanche soir

Blaise Cendrars à Marc Chagall
s.d. [1913 ?], en français,
© Archives Marc et Ida Chagall, Paris (non exposée)

Cher Monsieur Chagall !
Je n'ai pas pu venir l'autre dimanche chez Delaunay.
Je pensais vous y voir aujourd'hui. Vous n'y étiez pas.
Ne pourrais-je pas vous un de ces soirs.
Fixez-moi un rendez-vous,
où et quand vous voudrez.
Je suis libre tous les soirs excepté le mercredi.-
A bientôt
Blaise Cendrars
4, rue de Savoie
J'attends un mot de vous.

Dimanche soir

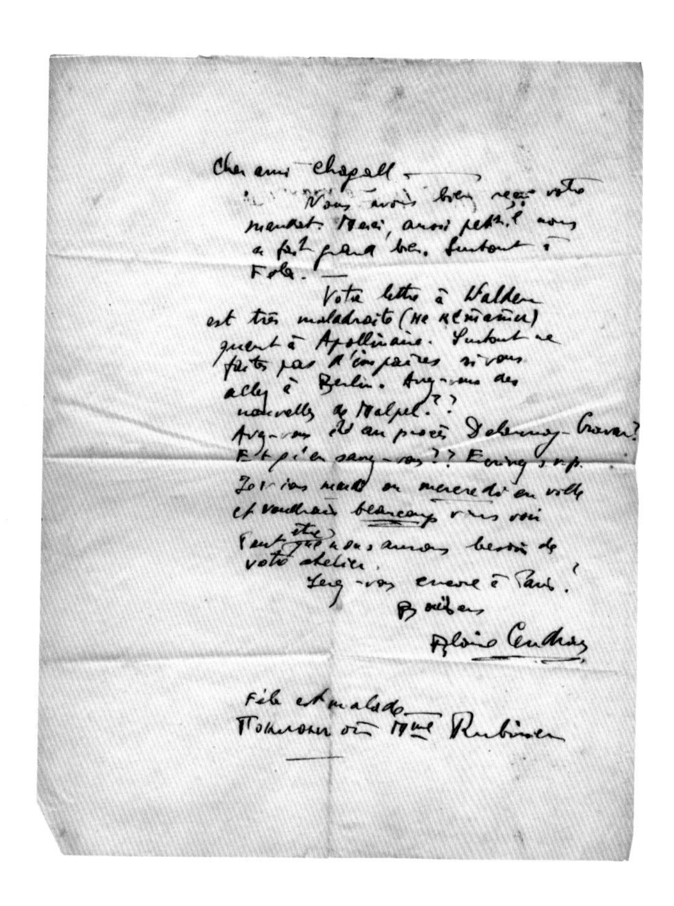

Cher ami Chagall —
Nous avons bien reçu votre mandat. Merci, aussi petit il nous a fait grand bien. Surtout à Féla. —
Votre lettre à Walden est très maladroite (не кстати) quant à Apollinaire. Surtout ne faites pas d'impaires si vous allez à Berlin. Avez-vous des nouvelles de Malpel ??
Avez-vous été au procès Delaunay-Cravar? Et qu'en savez-vous?? Ecrivez svp.
Je viens mardi ou mercredi en ville et voudrais beaucoup vous voir.
Peut-être nous aurons besoin de votre atelier.
Serez-vous encore à Paris!
Baisers
Blaise Cendrars

Féla est malade.
Поклоны от Mme Rubiner

Blaise Cendrars à Marc Chagall
1914 (contrat avec Malpel le 30-4-1914), © Archives Marc et Ida Chagall, Paris (cat. 186)

Cher Ami Chagall,
Nous avons bien reçu votre mandat. Merci, bien que petit il nous a fait grand bien. Surtout à Félicie.
Votre lettre à Walden est très maladroite (mal à propos) quant à Apollinaire.
Surtout ne faîtes pas d'impaires si vous allez à Berlin. Avez-vous des nouvelles de Malpel ??
Avez-vous été au procès Delaunay-Cravar ? Et qu'en savez-vous ?? Écrivez svp.
Je viens mardi ou mercredi en ville et voudrais beaucoup vous voir.
Peut-être que nous aurons besoin de votre atelier.
Serez-vous encore à Paris ?
Baisers
Blaise Cendrars
Féla est malade.
« Salutations de la part de Mme Rubiner »

Félicie Cendrars à Marc Chagall
2-3-1929, en russe, © Archives Marc et Ida Chagall, Paris (cat. 204)

Cher Chagall,

Il y a trois ans, j'ai reçu votre carte où vous et Cendrars vous m'avez passé votre bonjour.
J'ai essayé depuis de correspondre avec vous, mais hélas, je n'ai pas réussi.

J'ai appris, d'après les journaux, que vous aviez créé beaucoup de belles œuvres, mais malheureusement, je vis dans un pays désert par rapport à l'art. Dans *Le Nouvel Observateur* du 16 février, j'ai lu l'annonce de votre livre *Ma vie*.
Cette nouvelle me fait écrire cette lettre.
Je suis sûre que malgré votre gloire notoire vous n'oubliez pas vos vieux amis et trouverez une minute libre pour répondre à mon bonjour d'un pays lointain.

Je vais certainement m'y abonner juste après sa publication, mais votre signature personnelle me sera particulièrement chère.

Si cette lettre vous parvient bien et si cela vous intéresse, je vous parlerai de mes enfants et de moi-même. En attendant recevez une cordiale salutation de votre vieille connaissance d'une vie passée à la Ruche qui vous serre la main.

Écrivez-moi s'il vous plaît sur votre famille. J'espère que vous en avez une.
Je garde toujours un petit miroir russe que vous m'avez offert à l'époque (une œuvre artisanale) qui me fait penser à vous.
Excusez-moi cette écriture un peu négligée : je n'ai pas écrit en russe depuis si longtemps.

Est-ce que vous voyez Cendrars ?

En espérant recevoir votre petit mot.
Avec tout mon respect.
Madame Félicie Cendrars
9, Corso Carlo Albertot, San Remo.

Félicie Cendrars à Marc Chagall
19-4-1929, en russe,
© Archives Marc et Ida Chagall, Paris
(cat. 205)

Cher Chagall,

(Vu que votre attitude envers moi reste toujours cordiale, je me permets comme auparavant de vous appeler Chagall.)
Votre lettre m'a rendue plus que contente. Il me semble que je suis revenue dans ce monde passé et y ai retrouvé des amis perdus.

Maintenant, j'espère vous voir et faire la connaissance de votre famille. Pour cela, il me faudra probablement aller avec mes enfants à Paris en été.

P.S. *(verticalement)* : Je voudrais en savoir plus sur vos proches et vous-même, écrivez-moi.

Quand pensez-vous que je pourrais vous rencontrer à Paris ? Vous partez sans doute quelque part en été ? Quand ?

Je ne voudrais pas venir à Paris si vous n'êtes pas là. J'ai aussi envie de voir votre femme, votre fille et vous-même, après tant d'années de séparation.

Il m'est facile d'imaginer ce que vous créez aujourd'hui comme œuvres d'art.
Malheureusement, ici, il n'y a rien de nouveau. J'ai vu à Milan, il n'y a pas longtemps, le livre sur vous écrit par André Salmon. J'ai d'abord voulu l'acheter, mais il coûtait 130 lires. Je l'ai quand même bien regardé. Heureuse de voir et de reconnaître vos œuvres de l'époque. J'ai beaucoup aimé *Le Rabbin* et *Le Juif priant*.

Êtes-vous exposé en Palestine ? [Vous connaissez bien la Palestine ?] Vous avez probablement des contacts là-bas ? J'ai l'intention d'y aller soit pour longtemps, soit pour un simple voyage. Je ne sais pas encore. Ça m'intéresse beaucoup.
Vous me posez la question sur ma vie actuelle. Je vis pour le moment en Italie depuis environ huit ans. Toujours pour le moment. J'espère que c'est notre dernier refuge.

Il me faudrait revenir en France avec mes enfants, mais il paraît que les temps y sont maintenant difficiles.
Pour moi personnellement, il fallait que je sois loin de C-s [Cendrars], c'est pourquoi nous avons pris racine ici.
Nous nous sommes naturellement séparés, petit à petit. Il est inutile d'en parler.
Vous, Chagall, vous le comprendrez.
J'ai trois enfants :
Odilon, 15 ans
Remy, 13 ans
Miriam, 9 ans.

Dans un bon climat et une vie calme, ils grandissent terriblement bien.
Dans l'espoir d'avoir de vos nouvelles, je vous serre la main et passe mon bonjour cordial.
P.S. : Excusez-moi pour mon russe.

Félicie Cendrars.

Ces lettres ont été traduites par Irina Stelnaïa.

Marc Chagall, L'Atelier 1910, huile sur toile, 60,4 x 73 cm, Paris, Centre Georges Pompidou,
Musée national d'Art moderne/Centre de création industrielle, en dépôt au Musée national Marc Chagall, Nice (cat. 84)

MARC CHAGALL, AUTOPORTRAIT 1911, encre bleue sur papier, 33,9 x 26,2 cm, collection particulière (cat. 97)

MARC CHAGALL, AUTOPORTRAIT 1911, encre bleue sur papier, 26 x 20 cm, collection particulière (cat. 98)

Marc Chagall, Notre vache

1911, encres bleue, brune et rouge,
crayons de couleur et aquarelle sur papier,
20,5 x 13,3 cm,
collection particulière (cat. 94)

Marc Chagall, La Cuisine

1911, gouache sur papier,
13,3 x 21 cm,
collection particulière (cat. 93)

Marc Chagall, Groupe de paysans

1911, encres bleue, brune et rouge,
crayons de couleur, aquarelle bleu mauve,
20,6 x 13,2 cm,
collection particulière (cat. 95)

Marc Chagall, *Au théâtre* 1911, daté ultérieurement 1910, encre bleu turquoise sur papier, 21,3 x 27 cm, collection particulière (cat. 89)

Marc Chagall, *Chez le photographe* 1911-1912, encre sur papier, 10,5 x 14,1 cm, collection particulière (cat. 106)

Marc Chagall, Hôtel de la Poste

1911, daté ultérieurement 1910 par l'artiste, encre bleu turquoise sur papier, 32,8 x 26 cm, collection particulière (cat. 87)

Marc Chagall, Le Départ de l'avion

1911, daté ultérieurement 1910 par l'artiste, encre bleu turquoise sur papier, 33,6 x 25,5 cm, collection particulière (cat. 85)

Marc Chagall, Cirque

1911, daté ultérieurement 1910 par l'artiste, encre bleu turquoise sur papier, 33,6 x 26,9 cm, collection particulière (cat. 90)

Marc Chagall, Conversation au café. Le bistrot français 1911, encre brune sur papier, 13,2 x 20,4 cm, collection particulière (cat. 92)

Marc Chagall, Esquisse pour « Paris par la fenêtre » 1913, aquarelle et gouache sur papier, 30 x 27 cm, collection particulière (cat. 108)

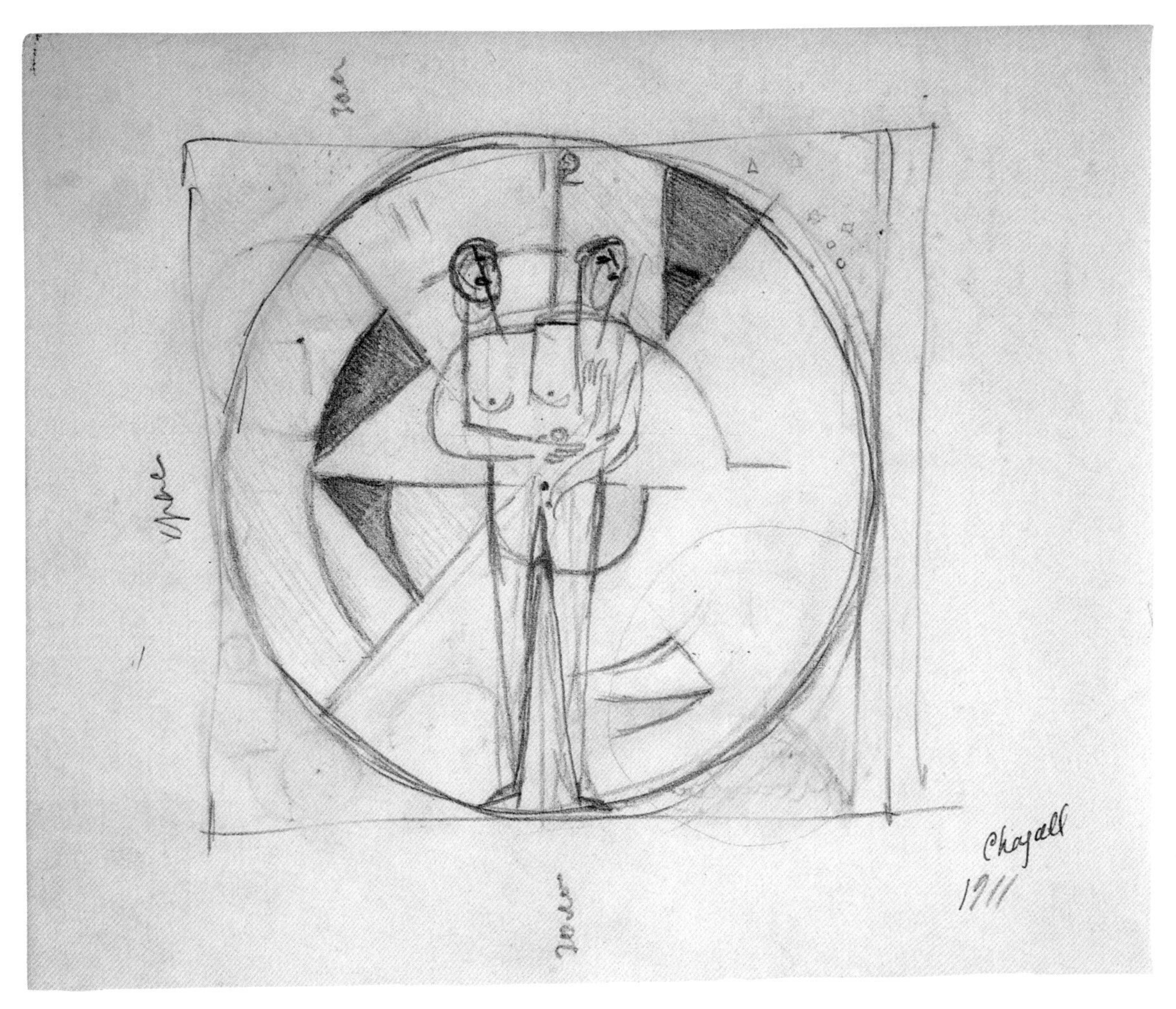

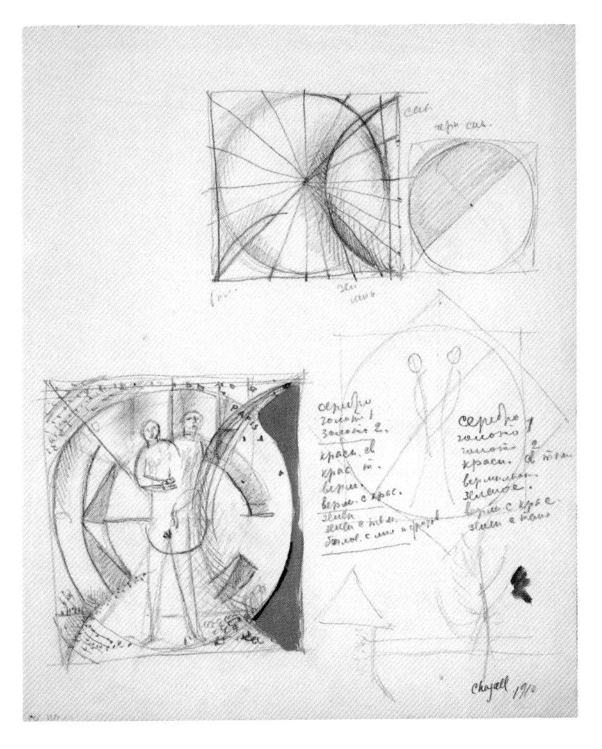

Marc Chagall, Étude pour « Adam et Ève » ou « Hommage à Apollinaire » 1911-1912, crayon sur papier, 16,1 x 19,6 cm, Paris, Centre Georges Pompidou, Musée national d'Art moderne/Centre de création industrielle (cat. 103)
Marc Chagall, Étude pour « Adam et Ève » ou « Hommage à Apollinaire » (recto) 1911-1912, crayon et gouache sur papier, 31,7 x 26,1 cm, Paris, Centre Georges Pompidou, Musée national d'Art moderne/Centre de création industrielle (cat. 102)
Marc Chagall, Étude pour « Adam et Ève » ou « Hommage à Apollinaire » (recto) 1911-1912, crayon sur papier, 33,7 x 26,1 cm (recto), Paris, Centre Georges Pompidou, Musée national d'Art moderne/Centre de création industrielle (cat. 104)

Marc Chagall, *Nu dans le jardin* 1911, huile sur toile, 33 x 40,5 cm, collection particulière (cat. 100)

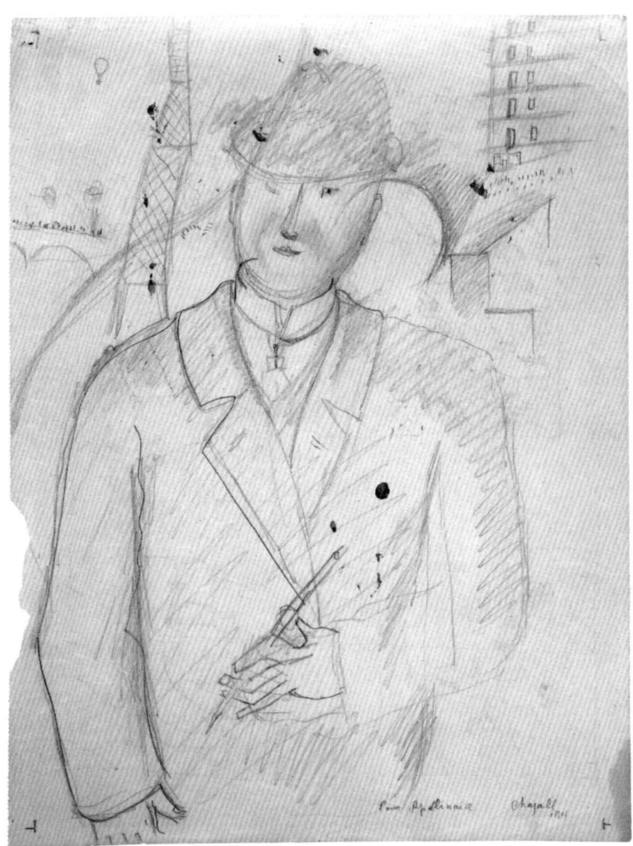

MARC CHAGALL, PORTRAIT D'APOLLINAIRE 1913-1914, encre violette et aquarelle sur papier, 27,8 x 21,7 cm,
Paris, Centre Georges Pompidou, Musée national d'Art moderne/Centre de création industrielle (cat. 109)

MARC CHAGALL, POUR APOLLINAIRE 1911, crayon sur papier, 33,6 x 26,1 cm,
Paris, Centre Georges Pompidou, Musée national d'Art moderne/Centre de création industrielle (cat. 91)

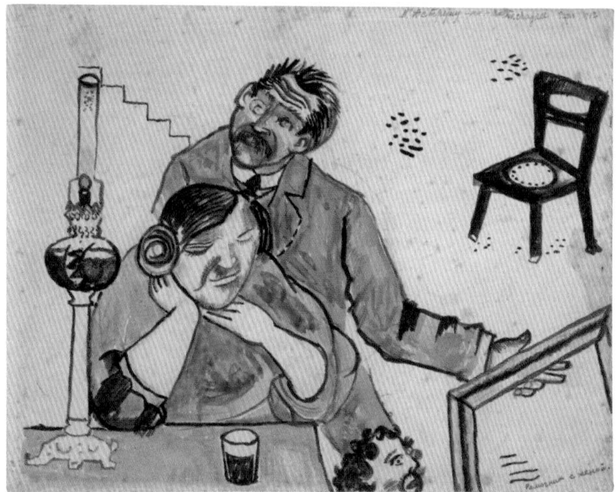

Marc Chagall, En pensant à Picasso 1914, encre sur papier quadrillé, 19,1 x 21,6 cm,
Paris, Centre Georges Pompidou, Musée national d'Art moderne/Centre de création industrielle (cat. 114)

Marc Chagall, Malpel, le marchand de cadres, et sa femme 1912, gouache, aquarelle, encre et lavis sur papier, 21,1 x 27,4 cm,
Paris, Centre Georges Pompidou, Musée national d'Art moderne/Centre de création industrielle (cat. 107)

Marc Chagall, Autoportrait devant la maison 1914, huile sur carton marouflé sur toile, 49,5 x 37,5 cm, collection particulière (cat. 118)

Marc Chagall, Le Salut 1914, huile sur carton marouflé sur toile, 37,8 x 49,8 cm,
Paris, Centre Georges Pompidou, Musée national d'Art moderne/Centre de création industrielle (cat. 115)

Marc Chagall, La Fusillade 1914, crayon et encre de Chine sur papier, 23,2 x 18,5 cm, collection particulière (cat. 112)
Marc Chagall, Guerre, dit Le Marchand de journaux 1914, crayon sur papier d'emballage gris, 45 x 35,5 cm,
Paris, Centre Georges Pompidou, Musée national d'Art moderne/Centre de création industrielle (cat. 110)
Marc Chagall, Le Rabbin et le Soldat en prière 1914, crayon sur papier, 22,9 x 18,4 cm, collection particulière (cat. 111)
Marc Chagall, Le Départ pour la guerre 1914, crayon et encre de Chine sur papier, 21,1 x 17,7 cm, collection particulière (cat. 116)

Marc Chagall, Intérieur à la sainte 1914, crayon sur papier, 12,8 x 21,4 cm, collection particulière (cat. 113)

Marc Chagall, Les Chèvres devant la palissade 1914, crayon et encre de Chine sur papier, 12,7 x 17,4 cm, collection particulière (cat. 117)

Marc Chagall, Bella à table 1916, gouache, crayon, encre de Chine, crayons de couleur et fusain sur papier, 23,1 x 21,8 cm, collection particulière (cat. 121)

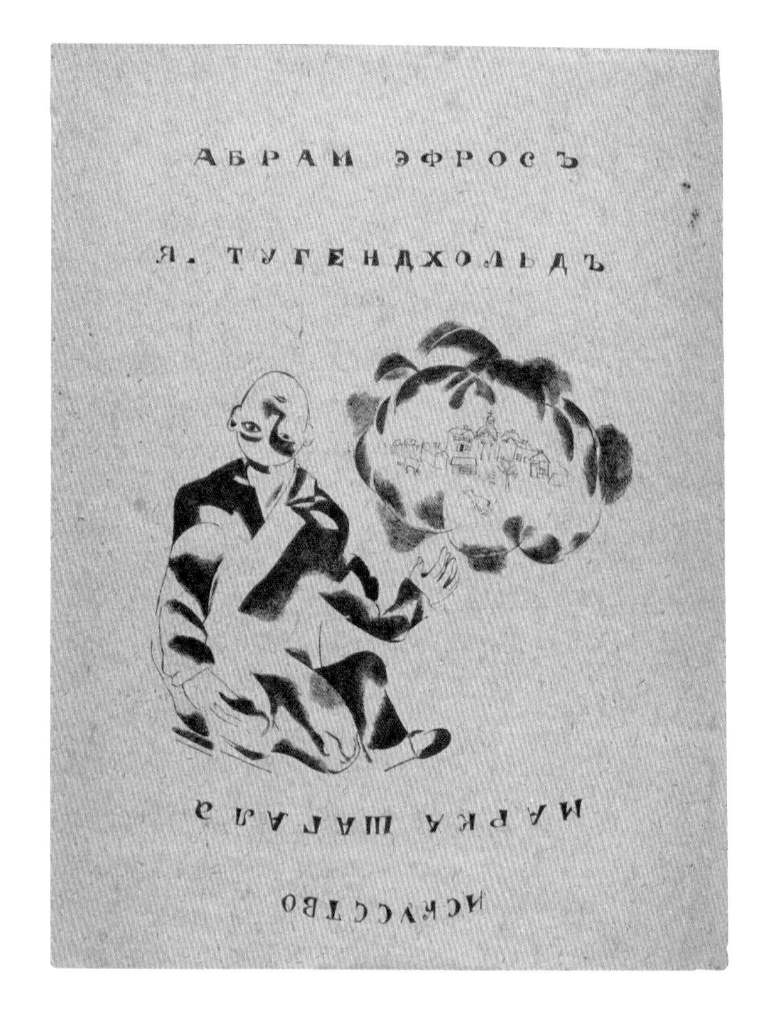

Marc Chagall, Maquette originale pour « L'Art de Marc Chagall », d'A. Efross et I. Tugendhold
Vers 1918, encre sur papier brun, 35,6 x 25,2 cm, collection particulière (cat. 125)

Marc Chagall, Portrait constructiviste Vers 1918, crayon sur papier reliure, 23,3 x 14,3 cm, collection particulière (cat. 124)

MARC CHAGALL, LA FAMILLE SUR LA CHAISE À PARIS Vers 1925, encre bleue sur papier, 32,3 x 25,4 cm, collection particulière (cat. 157)

Marc Chagall, Le Père 1921, huile sur carton, 67 x 50,5 cm, collection particulière (cat. 127)

MARC CHAGALL,
AUTOPORTRAIT

Vers 1922, encre de Chine
et lavis sur carton,
13,8 x 9,9 cm,
collection particulière (cat. 132)

MARC CHAGALL,
AUTOPORTRAIT

1922, crayon, aquarelle
et encre sur papier vergé,
26,7 x 21,3 cm,
collection particulière (cat. 131)

MARC CHAGALL,
AUTOPORTRAIT
À LA GRIMACE

1917, crayon sur papier
avec mise au carreau,
37,5 x 27,9 cm,
Paris, Centre Georges
Pompidou, Musée national
d'art moderne/Centre
de Création industrielle (cat. 123)

MARC CHAGALL,
AUTOPORTRAIT

1917, encre de Chine et lavis
d'encre de Chine sur papier,
18,5 x 14,5 cm,
collection particulière (cat. 122)

Marc Chagall,
Portrait d'Ida
à l'ourson
(Forêt-Noire)

1922, crayon sur papier,
29,9 x 23,1 cm,
collection particulière (cat. 130)

Marc Chagall,
Bella en manteau
(Forêt-Noire)

1922, crayon sur papier,
30 x 23,3 cm,
collection particulière (cat. 128)

Marc Chagall,
Portrait d'Ida

1925, crayon sur papier,
25,2 x 21 cm,
collection particulière (cat. 147)

Marc Chagall,
Ida (Forêt-Noire)

1922, crayon sur papier,
24,4 x 16,4 cm,
collection particulière (cat. 129)

Marc Chagall, *L'Homme à la tête renversée* 1919, huile sur carton (deux papiers) marouflé sur bois, 54 x 47 cm, collection particulière (cat. 126)

Marc Chagall, *Scène d'amour à la chaise* Vers 1925, lavis d'encre bleue et encre de Chine sur papier, 23,5 x 21 cm, collection particulière (cat. 156)

Marc Chagall, *L'Homme-Coq au-dessus de Vitebsk* 1925, huile sur carton, 49 x 64,5 cm, collection particulière (cat. 146)

Marc Chagall, Charlie Chaplin 1925, lavis d'encre bleue et encre de Chine sur papier, 26 x 19,7 cm, collection particulière (cat. 145)

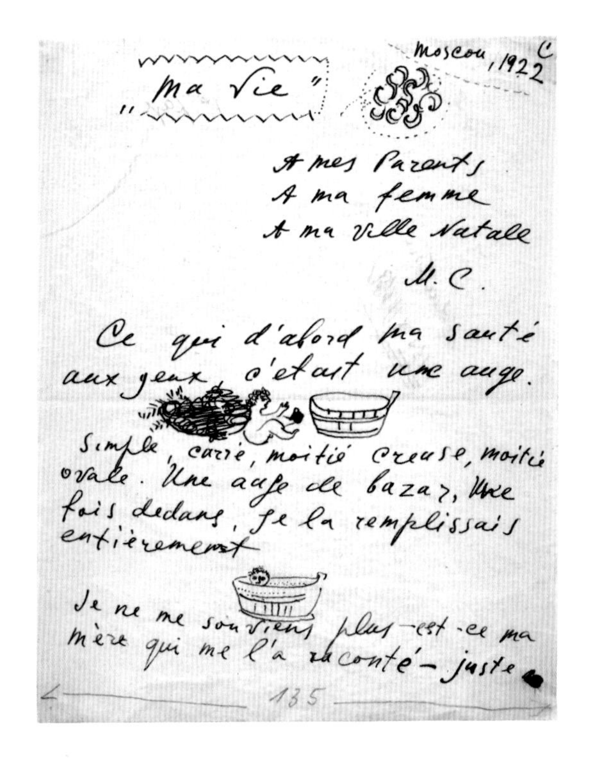

Moscou, 1922 C

"Ma Vie"

A mes Parents
A ma femme
A ma Ville Natale

M.C.

Ce qui d'abord m'a sauté aux yeux, c'était une auge.

Simple, carré, moitié creuse, moitié ovale. Une auge de bazar. Une fois dedans, je la remplissais entièrement

Je ne me souviens plus - est-ce ma mère qui me l'a raconté - juste

135

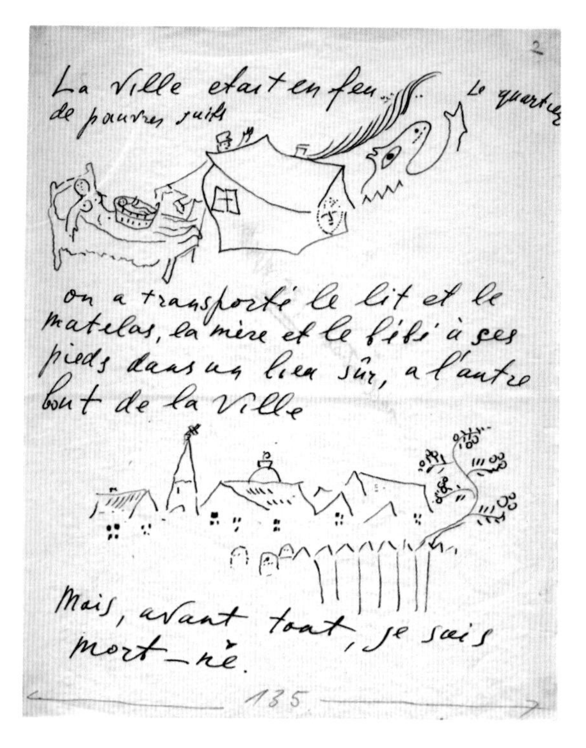

2

La ville était en feu. Le quartier de pauvres juifs

On a transporté le lit et le matelas, la mère et le bébé à ses pieds dans un lieu sûr, à l'autre bout de la ville

Mais, avant tout, je sais mort-né.

135

135

Voici Max Jacob. il ressemble à un juif.
il m'apparaissait ainsi à côté d'Apollinaire. Un jour, nous sommes allés ensemble déjeuner non loin de "la Ruche"
Je n'étais pas bien sûr qu'il eut seulement quarante sous dans sa poche..

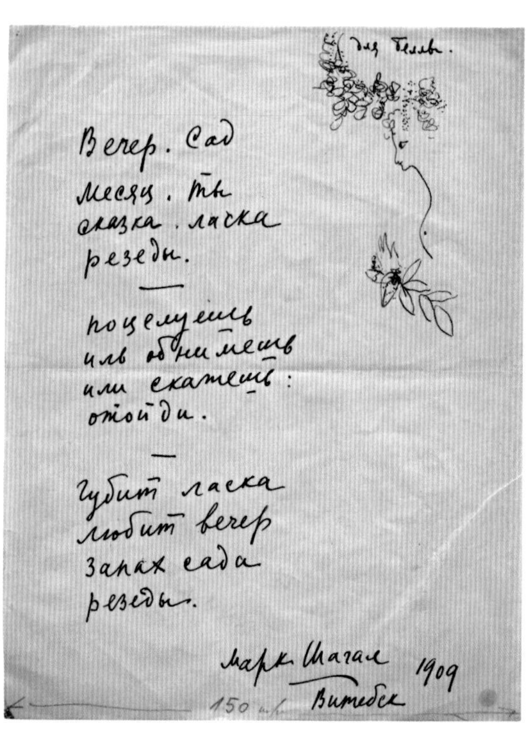

Для Беллы.

Вечер. Сад
Месяц. ты
сказка. ласка
резеды.

—

поцелуешь
иль обнимешь
или скажешь:
отойди.

—

губит ласка
любит вечер
запах сада
резеды.

Марк Шагал 1909
Витебск

Marc Chagall, Ma vie 1. À mes parents vers 1922, encre sur papier, 25 x 20 cm, collection particulière (cat. 133)
Marc Chagall, Ma vie 2. La ville était en feu vers 1922, encre sur papier, 25 x 20 cm, collection particulière (cat. 134)
Marc Chagall, Ma vie 3. Voici Max Jacob vers 1922, encre sur papier, 25 x 20 cm, collection particulière (cat. 135)
Marc Chagall, Le Jardin transcrit vers 1922, encre sur papier, 27 x 21 cm, collection particulière (cat. 136)

MARC CHAGALL, LE MARCHAND DE BESTIAUX 1922-1923, huile sur toile, 99,5 x 180 cm, Paris, Centre Georges Pompidou, Musée national d'Art moderne/Centre de création industrielle, en dépôt au musée de Grenoble (cat. 141)

Marc Chagall,
Le Cirque
1922-1944, huile sur toile,
37,3 x 57,7 cm,
Paris, Centre Georges
Pompidou,
Musée national d'Art
moderne/Centre de création
industrielle, en dépôt
au musée d'art moderne
de Strasbourg
(cat. 139)

Marc Chagall, Les Arlequins 1922-1944, huile sur toile, 56,5 x 86,8 cm, Paris, Centre Georges Pompidou, Musée national d'Art moderne/Centre de création industrielle, en dépôt au Musée national Marc Chagall, Nice (cat. 140)

Marc Chagall,
Le Cocher

1924, encre, crayons de couleur et gouache sur papier, 22,2 x 23,1 cm, collection particulière (cat. 142)

Marc Chagall,
Vision du nu

Vers 1925, encre de Chine et aquarelle sur papier, 25,6 x 20,9 cm, collection particulière (cat. 158)

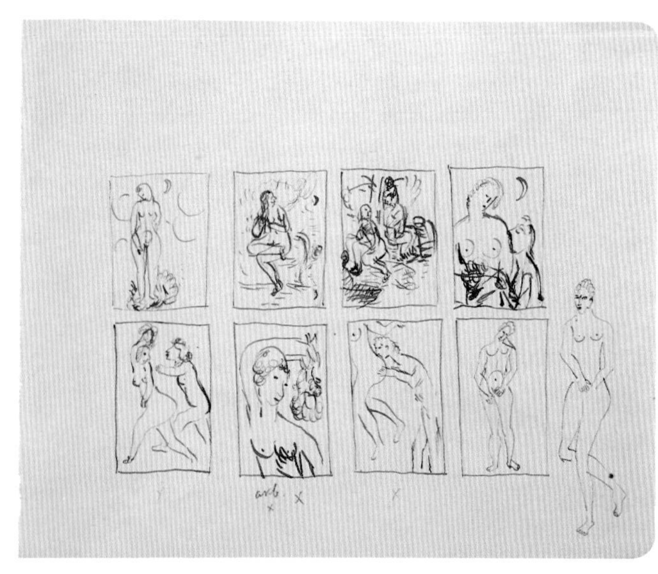

Marc Chagall, le peintre et son monde
Vers 1925, encre de Chine sur papier bleu,
18,6 x 21 cm,
collection particulière (cat. 150)

Marc Chagall, Groupe de personnages ou Conversation intime
Vers 1925, encre rouge sur papier,
24 x 30,6 cm,
collection particulière (cat. 154)

Marc Chagall, Modèle aux esquisses
Vers 1925, encre sur papier,
20,8 x 25,6 cm,
collection particulière (cat. 160)

Marc Chagall, L'Homme au parapluie et au pantalon rayé Vers 1925, lavis d'encre sépia sur papier Arches, 35,3 x 26,6 cm, collection particulière (cat. 152)

Marc Chagall, Femme barbue à l'éventail (pour Coquiot) Vers 1925, encre brune sur papier, 24,9 x 19,2 cm, collection particulière (cat. 159)

Marc Chagall, Fumeur au nez pointu 1926, encre brune et lavis sur papier, 16,5 x 13 cm, collection particulière (cat. 163)

Marc Chagall, Bella à l'œillet 1925, huile sur toile, 100 x 80 cm, collection particulière (cat. 144)

Marc Chagall, La Laiterie 1933, gouache sur esquisse au crayon sur papier vélin, 34,5 x 64,1 cm, Paris, Centre Georges Pompidou, Musée national d'Art moderne/Centre de création industrielle (cat. 170)

Marc Chagall, La Maison à l'œil vert 1926-1944, huile sur toile, 58 x 51 cm, collection particulière (cat. 166)

Marc Chagall Cinq gravures pour « Maternité », de Marcel Arland, Paris, Au Sans Pareil 1925-1926, eaux-fortes sur papier, cuvette : 13,6 x 10 cm, feuille : 28,2 x 18,2 cm, collection particulière (cat. 161)

Marc Chagall, Seize gravures pour « Les Sept Péchés capitaux » Textes de Jean Giraudoux, Paul Morand, Pierre MacOrlan, André Salmon, Max Jacob, Jacques de Lacretelle et Joseph Kessel, Paris, Simon Kra éditeur, 1926, gravures, tirages en sanguine sur papier Japon et tirage noir et blanc sur papier, cuvette : 16,5 x 10,7 cm, feuille : 24,8 x 18,8 cm, collection particulière (cat. 162)

MARC CHAGALL, NU AU-DESSUS DE VITEBSK 1933, huile sur toile, 87 x 113 cm, collection particulière (cat. 169)

Marc Chagall, Esquisse pour « La Révolution », dessin préparatoire 1937, encre, crayon, estompe sur papier vergé filigrané, 27,7 x 42,2 cm, Paris, Centre Georges Pompidou, Musée national d'Art moderne/Centre de création industrielle (cat. 172)

Marc Chagall, Esquisse pour « La Révolution » 1937, huile sur toile, 49,7 x 100,2 cm,
Paris, Centre Georges Pompidou, Musée national d'Art moderne/Centre de création industrielle (cat. 171)

PICASSO

Raymone Duchâteau, Blaise Cendrars, Eugenia Errázuriz et Igor Stravinsky devant l'œuvre de Picasso, « Portrait d'Eugenia Errázuriz », août 1932
Photographie collection Fondation Paul Sucher

Brigitte Léal

Histoire de Cendrars à l'œil de loupe et de Picasso le frelon jaune et rouge

« Je lui parlai de Jean Cocteau et de son ami Radiguet, [...] de Drieu la Rochelle, homme du monde qui voulut être bon, de Dorgelès, qui s'attachait à des besognes véritablement difficiles, de Massot, l'ami de cœur, de Reverdy, dont les vers poussaient entre les lettres d'imprimerie comme les mauvaises herbes entre les pavés des châteaux en Espagne, d'Éluard, le diamant solitaire, d'Aragon, qui semblait toujours parler au palais de justice, de Breton, qui toute sa vie contempla un point brillant qu'il portait au milieu de la cervelle, de Francis Picabia, toujours inquiet et trop habile, paraît-il, de Cendrars à l'œil de loupe, de Marie Laurencin, que bien des hommes connurent sur le bout du doigt, de Germaine Everling, dont la douceur et la bonté masquaient l'intelligence, de Gleizes le vétérinaire, de Léger, qui peignait comme d'autres portent une ceinture de sauvage, de Picasso le frelon jaune et rouge, de Derain, Fregoli de l'École des beaux-arts, qui pour être personnel avait imaginé l'impersonnalité, de Matisse, dont les lunettes d'or firent vendre bien des tableaux, de Segonzac l'entrepreneur de chocolat, de Crotti l'engagé volontaire, de Ribemont-Dessaignes le conservateur de Dada, de Tzara, chaussette de Moréas, enfin de Marcel Duchamp, qui à force de descendre tout nu un escalier avait fini par le remonter dans le même costume [1] » : on reconnaîtra, dans ce persiflage, « l'habile » Picabia évoquant en 1923, pour l'éminent collectionneur Jacques Doucet, les figures tutélaires de son musée et de sa bibliothèque. La liste peut surprendre par son éclectisme, brassant la queue de comète cubiste, les étoiles montantes de Dada et du surréalisme, et les personnalités plus convenues de la NRF, alors même qu'elle reflète le virage conservateur opéré après-guerre par les prophètes des premières avant-gardes.

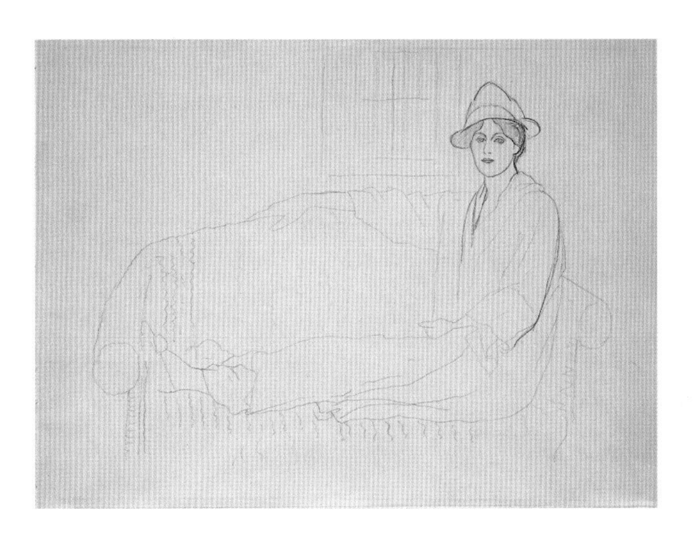

Fig. 1 Pablo Picasso
Portrait d'Olga sur un sofa, été 1918
Mine de plomb, 26,6 x 36,8 cm
Paris, Musée national Picasso

À la date de 1923 – année où Jean Cocteau publie un *Picasso* conçu comme une liquidation du cubisme (« Trop de cubisme [2] ! ») et une apologie du « rappel à l'ordre », où Max Ernst expose au Salon des indépendants *Au rendez-vous des amis* (1922, Cologne, Ludwig Museum), le premier manifeste pictural de la génération surréaliste, représentant côte à côte, Aragon, Breton, Desnos, Éluard, Paulhan,

Soupault –, les dés sont jetés depuis longtemps pour le cubisme, enterré par la guerre de 14, qui a séparé Braque et Picasso, condamné ses promoteurs « boches » à l'exil et bradé leurs collections par des ventes à l'encan de leurs chefs-d'œuvre. Le plus illustre d'entre eux, le marchand Daniel-Henry Kahnweiler, en fait un premier bilan depuis la Suisse (*Der Weg zum Kubismus*, publié à Munich en 1920), talonné par son rival Léonce Rosenberg, lequel, avec ses « Maîtres du cubisme », suivis du traité portant le titre révélateur de *Cubisme et tradition* [3], entérine l'idée d'un mouvement entré dans l'histoire et pacifié par celui-là même qui en fut le créateur : le « frelon jaune et rouge » – Picasso l'Espagnol.

Quelle est la place de l'homme à l'œil de loupe, Blaise Cendrars, dans cette histoire du cubisme dont il est l'un des derniers acteurs, où il est entré presque par effraction en 1912 grâce à Apollinaire et dont, avec un article au titre retentissant, « Le cube s'effrite », publié dans *La Rose rouge* du 15 mai 1919, il a contribué à sceller l'agonie ? Comment a-t-il résisté face au puissant frelon et à son imposant cortège de fidèles faisant bloc autour de lui avec un fanatisme inébranlable ? Comment s'imposer à cette date, déjà avancée pour une épopée entamée en 1907, et alors que, selon Fernande Olivier, « la bande [à Picasso] s'était divisée, dispersée [4] », face au trio soudé des premiers zélotes – Guillaume Apollinaire, Max Jacob, André Salmon – et à la détermination du dernier converti, Pierre Reverdy ? Le patron intransigeant de *Nord-Sud*, possédé par la foi, n'hésite-t-il pas à proclamer, qu'au royaume des dieux de la peinture, il n'existe toujours, en 1923, qu'un seul élu : « En peinture, il y a, aujourd'hui, Picasso. Et… après, personne. […] C'est que, sans doute, Picasso est à lui seul, tout le cubisme [5]. »
Si le nom de Cendrars reste attaché à ceux de Robert et Sonia Delaunay, de Léger et de Chagall, il ne pouvait échapper à la fascination exercée par l'« énorme flamme » (Apollinaire) de Picasso qui le poursuivra jusqu'à la publication de ses mémoires, *Bourlinguer*, en 1948, dédiées au « peintre de La Corogne ».

Un petit jeune homme frêle et blond
En juillet 1912, Cendrars, débarqué deux mois plus tôt de New York avec le manuscrit des « Pâques » en poche, prend langue avec Apollinaire, mentor officiel du cubisme et patron d'une nouvelle revue de défense des avant-gardes, *Les Soirées de Paris*. Si l'historiographie du cubisme a souvent monté en épingle la rivalité [6] qui a parfois entaché les relations entre les deux poètes et éloigné temporairement l'auteur des « Pâques à New York » de celui de « Zone » (publié un an plus tard dans *Alcools*), soupçonné de plagiat par le premier, on retiendra la générosité du « passeur des deux rives » qui permet au jeune inconnu helvétique, invité aux célèbres mercredis du poète, d'enchaîner les rencontres décisives dont Sonia Delaunay se fera la chroniqueuse : « Le mercredi, Apollinaire recevait ses amis dans son nouvel appartement. À une de ses soirées, j'ai vu, assis sur son grand divan, un petit jeune homme frêle et blond. Blaise Cendrars. Il venait d'écrire "Pâques à New York". Il habitait à trois ou quatre maisons de nous. "Venez nous voir à l'atelier." Le lendemain, il nous a apporté une petite plaquette, *Les Pâques*. […] Depuis ce jour-là, Cendrars est devenu notre meilleur ami. […] Il faisait partie de notre groupe et notre groupe faisait partie de lui [7]. » Une amitié décisive puisqu'elle entraîne dans son sillage celle des autres cubistes dissidents, Léger puis Chagall, et qu'elle décide du sort de Cendrars comme nouveau porte-parole de l'esthétique orphiste inventée par Apollinaire en 1913 [8] pour défendre la peinture de Robert Delaunay face au dogme du cubisme « scientifique » initial.

Bien consciente qu'Apollinaire, pieds et poings liés à Marie Laurencin [9], la négligerait pour concentrer son esthétique de la « peinture pure » sur la seule œuvre de Robert Delaunay, Sonia Delaunay s'attache les services de Cendrars pour défendre sa propre création simultanée. Peu porté sur la théorie, celui-ci lui offre, en 1913, le plus beau des cadeaux : les mots en liberté de la *Prose du Transsibérien et de la petite Jehanne de France*, étirés sur une feuille pliée en accordéon de deux mètres de haut, que Sonia illustre de gerbes de couleurs pures épousant le roulis des vers imprimés. Le premier livre simultané, publié aux Éditions des Hommes nouveaux cornaquées par le poète, était né. Sa présentation et sa conception inédites et « sans lendemain », comme le souligne François Chapon [10], venaient incontestablement bousculer le classicisme éditorial du cubisme littéraire. Malgré la liberté des calligrammes affranchis de ponctuation, publiés dans *Alcools* illustré d'un portrait cubiste d'Apollinaire par Picasso en 1913, celui-ci était demeuré largement ancré dans la tradition du livre illustré de planches représentée par les ouvrages édités par Kahnweiler en collaboration avec Max Jacob et Picasso (*Saint Matorel* en 1911 et *Le Siège de Jérusalem* en 1914).

Acquis en 1917 par Jacques Doucet, le futur propriétaire des *Demoiselles d'Avignon* et le plus prestigieux bibliophile des avant-gardes de son temps, le pochoir permit à Cendrars de gagner ses galons d'acteur à part entière du cubisme.

Un temps béni

Dans ce contexte, aujourd'hui bien documenté, d'« écartèlement[11] » du cubisme entre parties farouchement adverses, nul ne sait pourtant en quelles circonstances le « petit jeune homme blond et frêle » et le robuste Picasso ont pu se croiser à cette époque, si ce n'est probablement dans le sérail d'Apollinaire, et hors de la vue des Delaunay, soutenus par Walden et méprisés par le clan Kahnweiler-Picasso. Aucune photographie, telles que celles que Picasso aimait prendre de ses amis poètes (Apollinaire, Max Jacob, André Salmon), posant au Bateau-Lavoir, au milieu du fouillis de tableaux et de sculptures « nègres », pas plus que de témoignages écrits, comme les pittoresques mémoires de Fernande Olivier, muettes sur Cendrars, pour étayer notre recherche. Aucun livre illustré, intercesseur privilégié de la faveur du maître envers ses complices du cubisme littéraire, à mettre au compte de leur amitié. Seuls les papiers personnels de Picasso gardent la trace d'un contact pérennisé par neuf maigres documents éparpillés entre 1916 et 1927, dont un seul suffit à témoigner de la loyauté du partisan du cubisme orphique et simultané envers le fondateur du cubisme originel et authentique. Il s'agit d'une modeste carte postale adressée par Cendrars au printemps 1917 à Rome, où Picasso prépare le spectacle de *Parade* avec Cocteau et les Ballets russes. Elle porte ces mots, lancés comme un défi à la tête de Cocteau, qui entend bien faire lâcher le cubisme à Picasso : « Vive le cubisme[12] ! »

L'homme qui parle avec enthousiasme du passé a traversé, comme son ami et complice Fernand Léger, les horreurs de la Première Guerre, qui, le 28 septembre 1915, lui a arraché un bras, le laissant mutilé. Celui qui a écrit « J'ai tué. Comme celui qui veut vivre[13] », s'étourdit durant sa convalescence dans un milieu nouveau pour lui – celui des cercles mondains des « planqués » de l'arrière parisien éblouis par Cocteau. Le cénacle des rescapés du cubisme de salon, regroupé sous le nom emphatique et ridicule de « Lyre et palette », recueilli par le peintre suisse Émile Lejeune, également protecteur du Groupe des Six, au 6 de la rue Huyghens, s'enthousiasme pour sa poésie, déclamée en novembre 1916, lors de séances d'une préciosité toute proustienne,

Fig. 2 Pablo Picasso
Projet pour la couverture de la partition *Ragtime* d'Igor Stravinsky, 1919
Encre de Chine, 26 x 19,7 cm
Paris, Musée national Picasso

par l'acteur Pierre Bertin. Cette célébrité inattendue mais confidentielle s'élargit très vite grâce à l'irruption dans la vie de Cendrars d'une Mme Verdurin chilienne en la personne d'Eugenia Errázuriz. Celle dont Picasso tracera en 1920 et 1921 des portraits dessinés d'une élégance tout ingresque tient salon (rival de celui de Misia Sert) dans son hôtel particulier de l'Alma, transformé en quartier général des Ballets russes autour de Diaghilev, toujours en quête de mécène providentiel.

Cendrars y retrouve Picasso et y rencontre Igor Stravinsky – une amitié triangulaire incarnée en 1919 par une série de projets esquissés d'un trait délié par Picasso pour la couverture de la partition de *Ragtime* (fig. 2), créé en 1918 par un Stravinsky inspiré par le jazz. La partition, dédicacée à « Mme Eugenia Errázuriz », est publiée par les Éditions de la Sirène, fondées en 1917 par Pierre Laffitte sous les auspices de la mécène, à qui Cendrars doit de prendre la direction littéraire de l'entreprise, dans le but d'offrir une tribune à des poètes du sérail comme Max Jacob et Cocteau, et de s'assurer la collaboration d'artistes renommés tels que Raoul Dufy et Fernand Léger. Un projet d'album, envisagé avec Picasso en avril 1918, restera sans suite [14]. L'ombre d'Apollinaire, éloigné de toute activité littéraire et journalistique par son engagement au combat et sa terrible blessure, continue à planer sur le milieu cubiste. Pour faire illusion, un mémorable banquet salue son retour, le 31 décembre 1916, prélude à celui organisé le 15 janvier 1917, pour saluer la convalescence de Braque – cérémonies funèbres où Picasso et Cendrars communient dans la même ferveur pour les pères fondateurs d'un mouvement saigné par la guerre. Les vers empreints de mélancolie des « Saisons » d'Apollinaire, tracés par Picasso sur les murs de La Mimoseraie, la villa biarrote d'Eugenia Errázuriz où le peintre, son épouse russe, Olga Kokhlova (fig. 1), et Cendrars aiment descendre [15], esquissent la fin d'un monde condamné : « C'était un temps béni nous étions sur les plages / Va t'en de bon matin pieds nus et sans chapeau / Et vite comme va la langue d'un crapaud / L'amour blessait au cœur les fous comme les sages. »

Modernités

Sous le titre révélateur de « Modernités », Cendrars, bien introduit dans le milieu de la presse spécialisée par ses articles polémiques, publiés dans les revues allemandes *Die Aktion* et *Der Sturm* en 1913 et 1914, devient entre mai et juillet 1919 l'un des collaborateurs de la rubrique « Actualités » de *La Rose rouge*, qu'il partage entre autres avec André Salmon. Le modeste hebdomadaire littéraire et artistique est créé le 3 mai 1919 par Maurice Magne et Pierre Silvestre, en concurrence avec *S.I.C.* de Pierre-Albert Birot, sur les cendres de *Nord-Sud*, disparu en octobre 1918, et alors que trois jeunes loups, André Breton, Louis Aragon et Philippe Soupault, viennent de lancer *Littérature*, l'organe de diffusion du surréalisme balbutiant, qui, d'entrée de jeu, se fait fort de liquider « le goût cubiste » et la « résurrection du style Pompadour [16] » !

La salve d'articles consacrés par Cendrars au phénomène cubiste et à ses ténors – Picasso, Braque, Léger, Survage, Delaunay – s'inscrit dans le cadre de la réouverture du Salon des indépendants, après quatre ans d'interruption pour cause de guerre, ainsi qu'au retour sur le devant de la scène artistique de trois figures légendaires du cubisme. Léger, à qui Léonce Rosenberg offre les salles de sa galerie de L'Effort moderne pour sa première exposition personnelle, ouvre le banc en février 1919, suivi de Braque, autre miraculé de la guerre de 14, le mois suivant, pour une exposition de ses dernières œuvres – des natures mortes au style fluctuant entre cubisme et biomorphisme – qui fera date, malgré la forte concurrence exercée par la galerie du propre frère de Léonce, Paul Rosenberg. Ce dernier célèbre le nouveau Picasso et ses natures mortes rapportées de Saint-Raphaël, jonglant entre cubisme et références matissiennes, le 20 octobre suivant, rue La Boétie.

Depuis 1908, date de la première présentation aux Indépendants des œuvres de Braque, qualifiées « d'art canaque, résolument, agressivement inintelligible » par le critique Louis Vauxcelles, jusqu'à la fin, farouche contempteur du cubisme, le Salon des indépendants restera la pierre de touche du mouvement, l'occasion pour partisans et adversaires de s'empoigner passionnément. Malgré l'effacement relatif du cubisme et la montée en puissance d'autres mouvements, celui de 1919 n'échappe pas à la règle et donne lieu à une nouvelle effervescence critique. On remarque notamment, en février-mars 1919, un numéro spécial d'hommage au cubisme français de *Valori Plastici* [17], probablement commandité en sous-main par Léonce Rosenberg, l'abusif et entreprenant captateur d'un héritage que Kahnweiler, rentré d'exil, entendait bien récupérer. Plus soucieux de passer à la postérité par ses poèmes que par ses critiques, Cendrars était toujours resté en retrait dans les batailles esthétiques qui secouent régulièrement le petit monde cubiste [18]. A-t-il accepté cette fois de monter en première ligne à la demande de Fernand Léger, comme l'a suggéré Christian Derouet [19] ? Le peintre souhaitait montrer au Salon des indépendants (finalement annulé et repoussé en 1920) son dernier chef-d'œuvre, *La Ville* (1919, Philadelphia Museum of Art), véritable acmé de sa recherche, croisant cubisme, orphisme et sujet moderne, et savait pouvoir compter sur celui avec qui il avait « les mêmes antennes [20] » et des projets en commun.

En effet, les trois articles de Cendrars de mai 1919 [21], qui dérivent d'une analyse déjà formulée par Louis Vauxcelles dans sa rubrique du « Carnet de la semaine » du 9 juin 1918 claironnant : « Le cubisme intégral s'effrite, s'évanouit, s'évapore [22] », au grand dam de Reverdy, lequel, dans *Nord-Sud*, réagit en s'emportant contre les imitateurs tardifs du cubisme qui en ont dénaturé le sens, sont ciblés sur l'épuisement du cubisme et l'aspiration à « un nouvel isme pour désigner la beauté nouvelle ». Nul besoin de chercher bien loin pour trouver les peintres correspondant aux critères établis par Cendrars pour cet « art nouveau » correspondant à « un monde nouveau » : ces peintres de la vie moderne, de l'homme d'aujourd'hui, de la couleur, de la profondeur et de la monumentalité réhabilitées ne peuvent être que ses chers Fernand Léger et Robert Delaunay. Pour que l'on ne s'y trompe pas, il leur consacre, en juillet 1919, deux autres articles en forme de panégyriques, qui les consacrent – non sans emphase – comme les héros « d'une nouvelle esthétique mondiale », aux accents bergsoniens, celle d'une durée pure et dynamique en accord avec la « puissance d'aujourd'hui ».

« C'est le seul qui sache… »

Par un de ses tours de passe-passe idéologique dont il était le maître, Cendrars réussit à concilier son esthétique de la simultanéité et de la ville moderne avec son admiration béate pour celui qui en est l'antithèse et qu'il désigne sous le nom du « regard », en des termes préfigurant ceux employés cinquante ans plus tard par Brassaï dans ses *Conversations avec Picasso* [23] : « un regard, mystique, tendre, soutenu, cruel, sauvage, voluptueux, sadique ». On devine à ce vocabulaire grandiloquent que Cendrars n'a pas échappé à l'envoûtement exercé sur ses contemporains par le frelon jaune et rouge. Il tombe aussi dans le même travers que Reverdy qui décidera que Picasso était « à lui seul tout le cubisme [24] » pour l'isoler sur un piédestal. Il sombre dans le mythe de l'artiste divin, démiurge et magicien, lancé par

Fig. 3 Pablo Picasso
Les Baigneuses, été 1918
Huile sur toile, 27 x 22 cm
Paris, Musée national Picasso

Apollinaire, qui, en 1913, avait désigné Picasso comme le « Nouvel Homme », en le gonflant démesurément : « C'est le seul qui sache peindre, chaud, froid, faim, soif, parfum, odeur, fatigue [...]. » À l'instar du « poète assassiné » et de Cocteau, il ne recule pas devant les poncifs les plus éculés en justifiant les revirements stylistiques de l'Espagnol par son génie de la métamorphose et du masque, qui serait propre à sa nature d'arlequin trismégiste. Et que dire du cliché lui faisant opposer Picasso, « le Pascal fiévreux », à Braque, éternel mal-aimé de la critique, en janséniste « sec et précis dans son savoir-faire distingué[25] ».
Tout en clouant au pilori les inventions cubistes – collages, papiers collés, assemblages –, détectées par Apollinaire comme fondatrices de la révolution de l'art moderne, mais qu'il considère, pour sa part, comme de piètres simulacres de la réalité, Cendrars ébauche enfin un portrait de Picasso en alchimiste, sans doute redevable à Max Jacob, lui-même amateur de spiritisme, et appelé à faire florès. Cette théorie, un brin fumeuse, du grand sorcier qui possède « le chiffre secret du monde » et en « dégage une réalité latente (spirituelle) » pourrait avoir pour origine les souvenirs de Picasso (récupérés *a posteriori* par André Malraux pour les besoins de *La Tête d'obsidienne*), découvrant l'art africain au musée du Trocadéro en 1907 et l'assimilant immédiatement à un art d'exorcisme, transfiguré dans *Les Demoiselles d'Avignon*. Elle nourrit sa perplexité mêlée d'admiration devant les rébus mystérieux de certaines toiles cubistes qui lui font penser « à certaines opérations de magie noire, tant elles dégagent de charme imprévu, troublant, malsain : elles envoûtent littéralement ».

Envoûtement mais réelle incompréhension des acquis importants du cubisme et aveuglement face au maniérisme sophistiqué du nouveau style de Picasso, déployé dans ses *Baigneuses* acidulées (fig. 3), peut-être peintes sous ses yeux à Biarritz en 1918, mais sans commun rapport avec les disques colorés des amis Léger et Delaunay : quel terrain d'entente pouvait-il bien exister entre l'œil de loupe et le frelon jaune et rouge ? Qui sait si leur secret ne se cache pas dans une missive qui dut faire le bonheur de Picasso, ami des bêtes plus que des hommes : « Mon cher Picasso, Comment va ? Les ballets ? Et Olga ? Moi je travaille beaucoup avec 48 locomotives, un chien st-Bernard, des tourterelles et une magnifique tortue. Je vous embrasse[26]. »

Notes

1. Francis Picabia, extrait de *Paris-Journal*, 6 avril 1923, repris dans *Écrits II, 1921-1953*, textes réunis et présentés par Olivier Revault d'Alonnes et Dominique Bouissou, Paris, Belfond, 1978.
2. Cocteau s'abrite derrière une citation de Matisse pour attaquer le cubisme, *Picasso*, Paris, Librairie Stock, 1923, p. 7.
3. « Les Maîtres du cubisme » était une collection de quatre monographies éditées par L'Effort moderne et consacrées successivement à Georges Braque, Juan Gris, Fernand Léger, Pablo Picasso ; elles seront suivies par *Cubisme et tradition* chez le même éditeur.
4. « Petit à petit, la bande s'est divisée, dispersée. Déjà en 1912, on pouvait sentir la fêlure prochaine. Ce groupe d'artistes, dont l'union avait été la force principale, ne trouvait plus le même plaisir à se retrouver », Fernande Olivier, *Picasso et ses amis*, Paris, Stock, 1933, p. 231.
5. Pierre Reverdy, « Pablo Picasso », 1923, dans *Notes éternelles du présent. Écrits sur l'art, 1923-1960*, Paris, Flammarion, 1973.
6. Une rivalité qui n'empêche pas Cendrars d'être pris la main dans le sac, le 17 septembre 1912, pour le vol d'un exemplaire de *L'Hérésiarque* d'Apollinaire, qui lui vaudra d'être condamné pour vol à l'étalage !
7. Sonia Delaunay, *Nous irons jusqu'au soleil*, Paris, Robert Laffont, 1978, p. 54.
8. Les textes d'Apollinaire seront rassemblés dans son livre, *Les Peintres cubistes. Méditations esthétiques*, Paris, Eugène Figuière et Cie, 1913.
9. Leur récente séparation n'empêcha pas Apollinaire de lui offrir une place de choix dans son histoire des peintres cubistes, où elle était aussi la seule femme représentée.
10. François Chapon, *Jacques Doucet ou l'art du mécénat*, Paris, Perrin, 1996, p. 245.
11. C'est le terme employé par Apollinaire pour qualifier l'avènement des branches annexes du cubisme au Salon de la Section d'or, en 1912.
12. Le ton railleur de la carte vise ses confrères, Apollinaire, Cocteau et Reverdy : « Ici, tout pend la tête en bas, les paratonnerres à l'envers, le Nord-Sud va et vient, entre Montparno et Montmartre, on célèbre Verlaine bi-centenaire au n° 200 boul. St-Germain et l'on s'orne au Café de Flore d'une couronne mortelle de mousse de bière. À bas le cubisme, disent-ils. Vive le cubisme ! Vive les cons ! Les alexandrins ! Les petites voitures à 2 et à 3 roues ! Et tous les imbéciles qui vous lavent la tête », archives du musée Picasso, cité dans Laurence Madeline, *Les Archives de Picasso. On est ce que l'on garde*, Paris, RMN, 2003, p. 220.
13. Blaise Cendrars, *J'ai tué*, publié avec des illustrations de Fernand Léger, Paris, À La Belle Édition, 1918.
14. « Mon cher Picasso. Je suis venu à Montrouge, vous n'y étiez plus. Quand puis-je vous voir ? Il serait urgent de faire votre album [...] », lettre de Cendrars à Picasso, datée du 30 avril 1918, sur papier à en-tête des Éditions de la Sirène, Paris, archives du musée Picasso, dans Laurence Madeline, *Les Archives de Picasso*, *op. cit.*, p. 220.
15. Picasso et Olga Kokhlova y passent leur lune de miel pendant l'été 1918.
16. « Ce qui marque la naissance de *Littérature*, c'est bien en effet la naissance d'une opposition encore obscure au goût cubiste, une défense contre ce renouveau de la grâce dont bientôt les Lhote allaient se faire les panégyristes et dont le succès nous vaut aujourd'hui une espèce de résurrection du style Pompadour dans la poésie et la peinture », Louis Aragon, *Mémoires*, cité par Yves Chevrefils-Desbiolles, *Les Revues d'art à Paris, 1905-1940*, Paris, Ent'revues, 1993, p. 75.
17. *Valori Plastici*, numéro spécial consacré au cubisme français, février-mars 1919, avec un texte de Léonce Rosenberg faisant l'historique du cubisme.
18. Sur le sujet, voir la lettre de Cendrars à Delaunay en janvier 1914 : « Pour le livre du simultané, j'y ai beaucoup réfléchi. Je m'arrête. Ce n'est pas à moi d'écrire des "théories" ou un livre de "polémiques". Si ce livre ne doit relever ni de l'un ni de l'autre "genre", alors j'ai mes poèmes ! [...] Votre métier ne m'intéresse pas. Je n'y entends rien. [...] », cité par Delphine Bière-Chauvel, *Le Réseau artistique de Robert Delaunay*, Aix-en-Provence, Publications de l'université de Provence, 2005, p. 204.
19. « Il est plausible que les piques de Blaise Cendrars, qui n'épargnent que Léger, Braque et Picasso, soient inspirées par le peintre auquel elles profitent le plus », Christian Derouet, *Fernand Léger*, cat. exp., Paris, Centre Georges Pompidou, 29 mai-29 septembre 1997.
20. Selon les propres termes de Léger : « On avait les mêmes antennes. Il est comme moi. Il ramasse tout dans la rue. On s'est enchevêtrés avec lui dans la vie moderne. On a foncé », cité par Claude Laugier, « Autour de *La Ville* et de Blaise Cendrars : 1918-1919 », *ibidem*, p. 79.
21. Blaise Cendrars, « Quelle sera la nouvelle peinture aux Indépendants ? », *La Rose Rouge*, n° 1, 3 mai 1919 ; « Quels seront les maîtres consacrés aux Indépendants de 1919 ? », *idem*, n° 2, 9 mai 1919 ; et « Le cube s'effrite », *idem*, n° 3, 15 mai 1919.
22. Louis Vauxcelles [Pinturrichio], « Le Carnet des ateliers », dans « Le Carnet de la semaine », Paris, 9 juin 1918.
23. Brassaï évoque « la fixité flamboyante du regard qui vous perce, vous subjugue, vous dévore », et qu'il fixera par un célèbre portrait photographique en 1932, *Conversations avec Picasso*, Paris, Gallimard, 1964, p. 44.
24. Pierre Reverdy, « Pablo Picasso », dans *Notes éternelles du présent*, *op. cit.*, p. 193.
25. Blaise Cendrars, « Georges Braque », *La Rose rouge*, n° 8, 19 juin 1919.
26. Pneumatique adressé par Cendrars de Nice, le 11 janvier 1920, à Picasso, rue La Boétie, archives du musée Picasso, dans Laurence Madeline, *Les Archives de Picasso*, *op. cit.*, p. 220.

PABLO PICASSO, MARINS EN BORDÉE Hiver 1906-1907, huile sur bois, 17,6 x 13,5 cm, Paris, Musée national Picasso (cat. 220)

Pablo Picasso, Étude pour « Nu debout » Début 1908, mine de plomb, 65,3 x 50 cm, Paris, Musée national Picasso (cat. 221)

Pablo Picasso, Étude pour « Trois femmes », nu debout de profil Printemps 1908, mine de plomb, 32,6 x 24,9 cm, Paris, Musée national Picasso (cat. 222)

Pablo Picasso, Étude pour « Trois femmes », les trois nus Printemps 1908, encre bleue, 24 x 32,2 cm, Paris, Musée national Picasso (cat. 223)

PABLO PICASSO, ÉTUDE POUR « TROIS FEMMES », LES TROIS NUS Printemps 1908, encre bleue, gouache, 30,9 x 23,6 cm, Paris, Musée national Picasso (cat. 224)

PABLO PICASSO, ÉTUDE POUR « TROIS FEMMES », LES TROIS NUS Printemps 1908, encre violette, fusain, gouache, 31 x 24,5 cm, Paris, Musée national Picasso (cat. 225)

PABLO PICASSO, FEMME NUE AU BRAS LEVÉ Début 1909, lavis, plume (dessin), 31,7 x 23,6 cm, Paris, Musée national Picasso (cat. 226)

Pablo Picasso, Le Bock 1909, huile sur toile, 92,5 x 76,5 cm, Lille-Métropole, Villeneuve-d'Ascq, musée d'Art moderne, donation Geneviève et Jean Masurel, 1979 (cat. 227)

Pablo Picasso, Les Allumettes 1911, huile sur toile, 16 x 24 cm,
Paris, Centre Georges Pompidou, Musée national d'Art moderne/Centre de création industrielle, donation Louise et Michel Leiris, 1984 (cat. 228)

Pablo Picasso, Nature morte Printemps 1912, encre brune, mine de plomb, plume (dessin), 27 x 21 cm, Paris, Musée national Picasso (cat. 229)

PABLO PICASSO, VIOLON, VERRE ET BOUTEILLE 1912-1913, fusain et gouache sur papier, 50 x 64,5 cm,
Paris, Centre Georges Pompidou, Musée national d'Art moderne/Centre de création industrielle, donation Marie Cuttoli, 1963 (cat. 230)

PABLO PICASSO, LE VIOLON/NATURE MORTE 1914, huile sur toile, 81 x 75 cm,
Paris, Centre Georges Pompidou, Musée national d'Art moderne/Centre de création industrielle, don Raoul La Roche, 1952 (cat. 231)

Pablo Picasso, La Bouteille de vieux marc Printemps 1913, fusain et papiers collés, 63 x 49 cm,
Paris, Centre Georges Pompidou, Musée national d'Art moderne/Centre de création industrielle, donation Henri Laugier, 1963 (non exposé)

PABLO PICASSO, LA BOUTEILLE DE BASS 1914, crayon, fusain et aquarelle sur papier, 61 x 48 cm,
Paris, Centre Georges Pompidou, Musée national d'Art moderne/Centre de création industrielle, donation Marie Cuttoli, 1963 (cat. 232)

1

2 (cat. 233)

3

Pablo Picasso, Cheval et son dresseur 23 novembre 1920, mine de plomb, 21 x 27,5 cm, Paris, Musée national Picasso

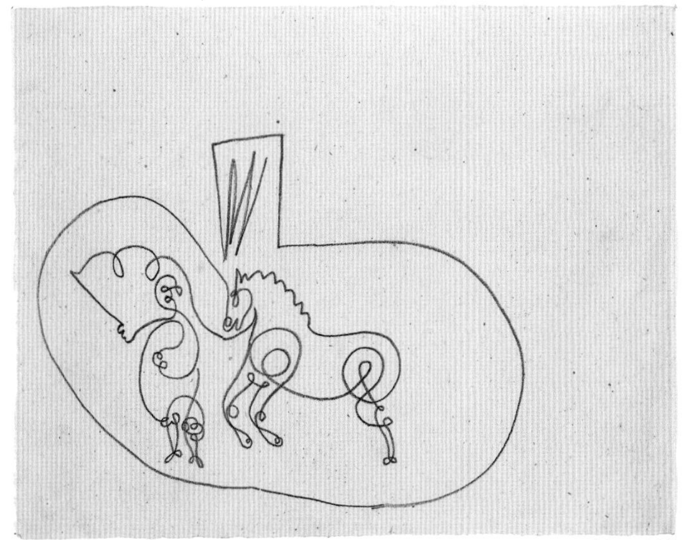

4 (cat. 234)

5

6

PABLO PICASSO, CHEVAL ET SON DRESSEUR 23 novembre 1920, mine de plomb, 21,2 x 27,1 cm, Paris, Musée national Picasso

PABLO PICASSO, LE CHEF-D'ŒUVRE INCONNU 1927, tiré de l'édition de 1931, eau-forte IV, 19,4 x 28 cm, Paris, Musée national Picasso (cat. 235)

Pablo Picasso, Le Chef-d'Œuvre inconnu 1927, tiré de l'édition de 1931, eau-forte X, 27,8 x 19,4 cm, Paris, Musée national Picasso (cat. 236)

Pablo Picasso, *Le Chef-d'Œuvre inconnu* 1927, tiré de l'édition de 1931, eau-forte IX, 19,4 x 27,6 cm, Paris, Musée national Picasso (cat. 237)

PABLO PICASSO, LE CHEF-D'ŒUVRE INCONNU 1927, tiré de l'édition de 1931, eau-forte VII, 19,4 x 27,8 cm, Paris, Musée national Picasso (cat. 238)

Pablo Picasso, *Le Chef-d'Œuvre inconnu* 1927, tiré de l'édition de 1931, eau-forte XII, 19,4 x 27,9 cm, Paris, Musée national Picasso (cat. 239)

PABLO PICASSO, LE CHEF-D'ŒUVRE INCONNU 1927, tiré de l'édition de 1931, eau-forte VIII, 19,5 x 27,7 cm, Paris, Musée national Picasso (cat. 240)

Pablo Picasso, Le Chef-d'Œuvre inconnu 1927, tiré de l'édition de 1931, eau-forte XI, 27,8 x 19,4 cm, Paris, Musée national Picasso (cat. 241)

Pablo Picasso, *Le Chef-d'Œuvre inconnu* 1927, tiré de l'édition de 1931, eau-forte VI, 19,4 x 27,8 cm, Paris, Musée national Picasso (cat. 242)

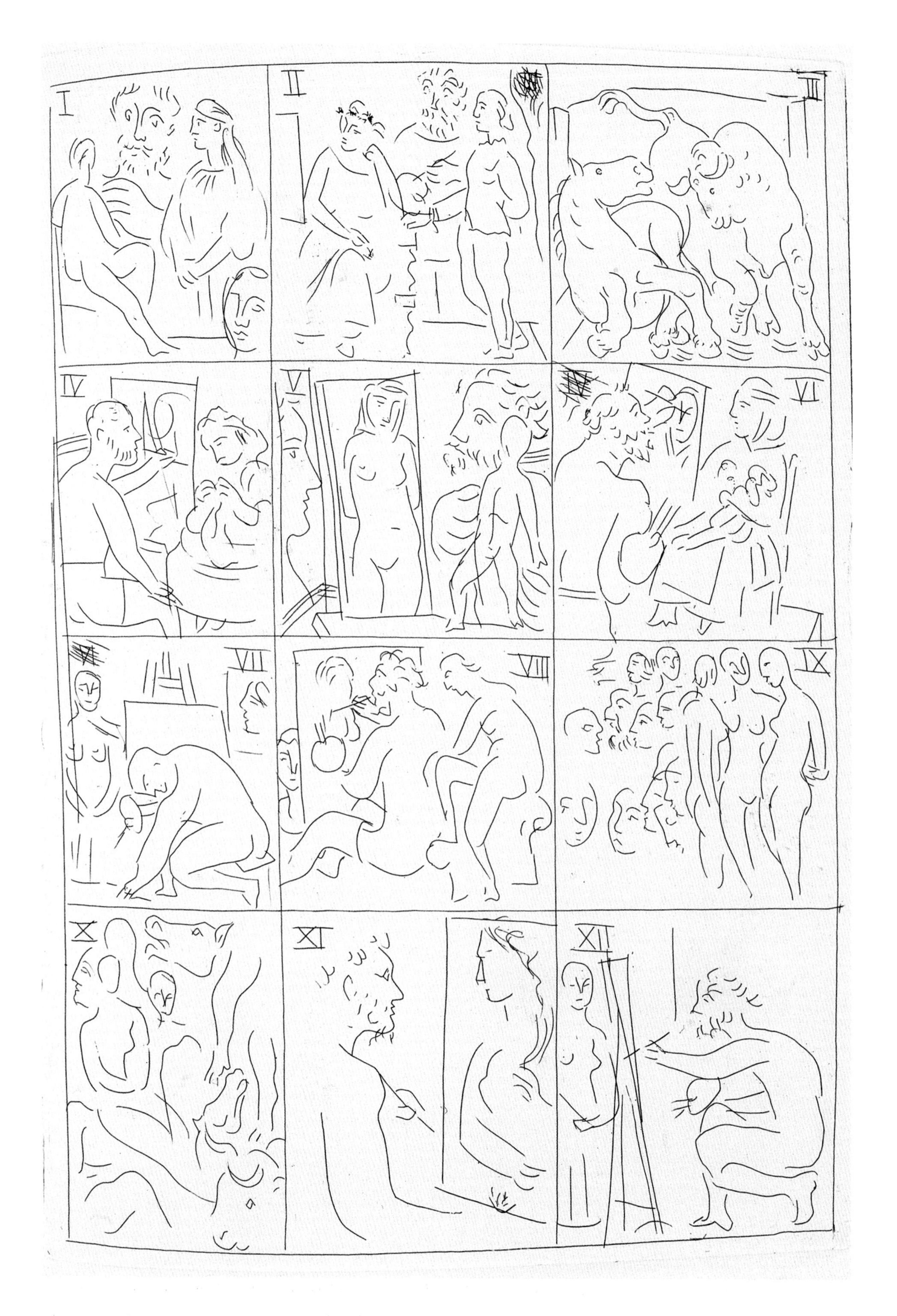

Pablo Picasso, Le Chef-d'Œuvre inconnu 1927, tiré de l'édition de 1931, eau-forte XIII, 27,9 x 19,3 cm, Paris, Musée national Picasso (cat. 243)

Pablo Picasso, Le Chef-d'Œuvre inconnu 1927, tiré de l'édition de 1931, eau-forte I, 19,2 x 27,9 cm, Paris, Musée national Picasso (cat. 244)

Pablo Picasso, Le Chef-d'Œuvre inconnu 1927, tiré de l'édition de 1931, eau-forte II, 19,3 x 27,8 cm, Paris, Musée national Picasso (cat. 245)

Pablo Picasso, Le Chef-d'Œuvre inconnu 1927, tiré de l'édition de 1931, eau-forte III, 19,7 x 27,8 cm, Paris, Musée national Picasso (cat. 246)

Pablo Picasso, Le Chef-d'Œuvre inconnu 1927, tiré de l'édition de 1931, eau-forte V, 19,4 x 27,8 cm, Paris, Musée national Picasso (cat. 247)

Blaise Cendrars au Tremblay-sur-Mauldre, avec la chienne Volga et les chats Grain d'orge et Chichourle, 1924-1934
Berne, Bibliothèque nationale suisse, Fonds Blaise Cendrars (cat. 254)

Miriam Cendrars

« J'ai même voulu devenir peintre... », écrit Blaise Cendrars dans son poème « Journal » daté du mois d'août 1913, un an, précise-t-il, après l'écriture de son avant-dernier poème, « Les Pâques à New York » : « Ma vie a bien changé depuis... » Quels changements ? Quelles rencontres, quelles visions nouvelles ?

QUATRE CHEMINS POUR ALLER PLUS LOIN

Les trois œuvres reproduites font partie de la série de vingt-neuf tableaux intitulés « Voyages » réalisée par Blaise Cendrars en janvier 1913.

Fig. 1
Janvier 1913, Blaise Cendrars, une jambe cassée par accident, est immobilisé dans une chambre d'hôtel à Saint-Cloud. Son ami Robert Delaunay lui apporte toiles, pinceaux et couleurs. Ce tableau est un hommage à Delaunay, une évocation de ses thèmes : tour Eiffel, grande roue, voûte de l'église Saint-Séverin, ballon de rugby...

Que s'est-il donc passé au cours de cette année 1912-1913 pour Freddy Sauser devenu Blaise Cendrars ?

1905-1907, Freddy. La construction de sa vie commence à Saint-Pétersbourg.
Le jeune spécialiste de l'école buissonnière, le rétif à l'étude, est un lecteur assidu de la Bibliothèque impériale. Il inscrit dans ses cahiers listes et commentaires des livres qu'il dévore. L'art y tient une importante place. Il copie des dizaines de pages sur la peinture du Trecento et du Quattrocento... Giotto, Fra Angelico, Cimabue, Paolo Uccello...
Dans les pauvres églises orthodoxes, Freddy contemple avec ferveur les iconostases et écoute l'histoire du Christ « qu'un vieux moine traçait en lettres d'or ».

« Je connais tous les Christs qui pendent dans les musées. »
Déambuler dans les musées est désormais une habitude.
À Paris, au Louvre, devant *La Vague* de Constable, il rencontre son camarade d'enfance August Suter, devenu sculpteur : l'art est désormais pour Freddy un sujet capital d'étude et de réflexion.

1911, retour en Russie. La description de ses visites au musée de Saint-Pétersbourg prend la tournure de celle d'un critique d'art. Dans ses lettres à Suter, il nomme et commente Rubens, l'école flamande, les Vénitiens, les Florentins, et il insiste : « La collection Rembrandt comporte environ trente-cinq toiles... et une série complète de ses eaux-fortes... Je retournerai les étudier davantage. »

Fig. 2
Inspiré par les recherches de Robert Delaunay sur l'hélice et sur la spirale des couleurs, Blaise Cendrars écrit : « Une couleur n'est pas couleur en soi. Elle n'est couleur qu'en contraste avec une ou plusieurs couleurs. » Dans ce tableau dédié à Féla, Blaise rejoint l'idée d'Apollinaire, qui désigne du joli nom d'« orphisme » la nouvelle peinture d'un lyrisme intense, universel et coloré.

Fig. 3
Blaise Cendrars, un des « nègres » de Guillaume Apollinaire, a été chargé de la rédaction de *Perceval le Gallois* pour la « Collection des curieux ». Il peint pour son ami Guillaume ce tableau symbolisant la quête du Graal. En bas, il place trois chevaliers de la Table ronde.

Décembre 1911. À New York, Freddy rencontre un jeune peintre russe. Il s'étonne de sa « minable ignorance » et étale son savoir : « [...] il ne connaît pas Van Gogh, ni Odilon Redon, ni Besnard... » – et de citer encore Carrière, Van Eyck, Dürer, Rubens, Rembrandt, Hodler, Beardsley, Burnes-Jones, Segantini... Vinci, Fragonard, Watteau...
Pour conclure, il mentionne « Picasso le cubiste », dont Alfred Stieglitz vient d'exposer les œuvres audacieuses.

Juin 1912. New York a ouvert le regard de Freddy à la modernité :
« Je me suis fait un nom nouveau
Visible comme une affiche bleue
Et rouge montée sur un échafaudage
Derrière quoi on édifie
Des nouveautés des lendemains
BLAISE CENDRARS »

Retour à Paris. Les connaissances en matière d'art de Blaise Cendras, poète, sont bien assises. Il entre à la galerie La Boétie le jour du vernissage de l'exposition de la Section d'or, en octobre 1912. C'est la grande rencontre, le choc.
Les voici, les « hommes nouveaux » pour lesquels, avec Emil Szittya, il fonde, sous ce titre, la revue d'avant-garde franco-allemande !
Tandis que la presse les traite de « barbouilleurs », Blaise Cendrars, lui, avec Guillaume Apollinaire et Ricciotto Canudo, devient le défenseur de ces hommes au regard libre de tout préjugé qui apportent une révolution dans le monde de l'art.
Fernand Léger, Robert et Sonia Delaunay, Georges Braque deviendront ses plus proches amis, et bientôt il rencontrera Pablo Picasso et Marc Chagall.

Délibérément indépendant de tous les « ismes », Blaise reconnaît le génie particulier de Chagall.
Dans les ateliers de la Ruche et de la Grande Chaumière, où il s'exerce au dessin du nu, Chagall tente de réduire le corps à des formes géométriques et de le substituer au nu vivant, souple et sensuel, né de son crayon, dans sa forme charnelle et spirituelle à la fois. Alors, Blaise lui dit : « Chagall, laisse les autres, avec leurs pommes ou leurs figures carrées... garde ta musique et ta vision de l'invisible... »

1912-1913. Pour Blaise Cendrars, c'est l'année des changements, des visions nouvelles.
Marc, Fernand, Pablo..., peintres, sont à la recherche du regard extérieur révélateur du monde intérieur, tout comme Blaise, poète, est à la recherche de la parole qui chante l'indicible.

Quatre chemins pour aller plus loin.
Chemin faisant, les quatre amis se croisent, s'éloignent, se retrouvent et poursuivent leur quête jusqu'au profond aujourd'hui qui conduit au futur infini.

« Christ
Voici plus d'un an que je n'ai plus pensé à Vous
Depuis que j'ai écrit mon avant-dernier poème *Pâques*
Ma vie a bien changé depuis
Mais je suis toujours le même
J'ai même voulu devenir peintre
Voici les tableaux que j'ai faits et qui ce soir pendent aux murs
Ils m'ouvrent d'étranges vues sur moi-même qui me font penser à Vous. »

La Ruche,
Photographie W. Limot

Ces notes font uniquement état :
– des activités qui ont impliqué les artistes ;
– des lieux, des déplacements les concernant ;
– des personnes qui ont eu un lien direct avec eux ou ont influencé le cours de leur vie.

Repères chronologiques et biographiques

Nelly Maillard & Élisabeth Pacoud-Rème

1881 Joseph-Fernand-Henri Léger naît le 4 février à Argentan (Orne). Son père meurt en 1884. Il est élevé par sa mère Marie-Adèle Daunou.
Pablo Picasso naît le 25 octobre à Malaga, d'un père professeur à l'école d'art de la ville, José Ruiz Blasco, et de Maria Picasso.

1887 Blaise Cendrars, de son vrai nom Frédéric-Louis Sauser, naît le 1er septembre à La Chaux-de-Fonds, dans une famille bourgeoise francophone d'origine bernoise.
Moïshe Shagall, plus tard Marc Chagall, naît le 7 juillet à Vitebsk, dans une famille juive et pauvre.

1890-1896
À Argentan, Léger reçoit ses premières leçons de dessin chez Corbin, un décorateur local, avant de passer deux années à Caen comme apprenti chez un architecte.
Picasso est reçu brillamment à l'école d'art La Lonja à Barcelone.
La famille Sauser se déplace à Naples et vit avec difficulté les mauvaises affaires du père. À leur retour en Suisse, Frédéric est envoyé dans un pensionnat en Allemagne d'où il fuguera.

1897 Picasso, auréolé de succès précoces, triomphe au concours d'entrée à l'académie San Fernando de Madrid.

1898 Chagall est inscrit, moyennant paiement car il est juif, au collège de Vitebsk. Il y rencontre Ossip Zadkine.

1900-1903
Léger rejoint ses camarades argentonnais André Mare et Henri Viel à Paris, avant de faire son service militaire.
Picasso présente sa première exposition à Els Quatre Gats. En 1901, il fait un premier séjour à Paris et expose chez le marchand Ambroise Vollard, puis en 1902 chez Berthe Weill, où sa « période bleue » connaît un vrai succès. Il fait la connaissance du poète Max Jacob.

Fig. 1 *Marc Chagall et Bella Rosenfeld*, Vitebsk, 1911
© Archives Marc et Ida Chagall, Paris (cat. 175)

1904-1905

Léger est admis à l'École des arts décoratifs, où il suit les cours des ateliers de Léon Gérôme, puis de Gabriel Ferrier, et fréquente l'académie Julian. Pour vivre, il travaille chez un architecte et chez un photographe. Il partage l'atelier d'André Mare. Ses œuvres sont marquées par l'impressionnisme.
Frédéric Sauser est envoyé en apprentissage à Moscou et à Saint-Pétersbourg. À la Bibliothèque impériale, il se découvre une passion : écrire. Il aurait alors commencé un ouvrage disparu, *Novgorode* [1].
En 1904, Picasso, installé au Bateau-Lavoir, rencontre Guillaume Apollinaire et André Salmon. L'année suivante, il inaugure la « période rose » et fait la connaissance de Gertrude et Leo Stein, qui collectionnent ses œuvres.

1906-1908

Frédéric Sauser quitte la Russie en laissant derrière lui un amour de jeunesse, Hélène Kleinmann, et retourne en Suisse où sa mère se meurt. En juin suivant, il apprend la mort d'Hélène, brûlée vive dans un incendie. Il en gardera une forte culpabilité. En 1908, installé à Berne, il commence des études de médecine et rencontre celle qui deviendra plus tard sa femme, Féla Poznanska.
Pour soigner une maladie pulmonaire, Léger passe ses hivers en Corse. Il présente cinq paysages corses en octobre 1907 au Salon d'automne, qui rend hommage à Paul Cézanne par une rétrospective de ses œuvres, et au Salon d'automne 1908, il expose les *Pêcheurs corses*.
Chagall, qui a abandonné ses études, décide, avec Ossip Zadkine, son condisciple, d'être artiste. Il commence la peinture en 1906 chez Pen, un peintre de Vitebsk spécialisé dans les portraits de la bourgeoisie locale. Il travaille comme apprenti chez un photographe, puis comme décorateur d'enseignes. En 1907, il arrive à Saint-Pétersbourg, où il est élève à la Société impériale pour la protection des beaux-arts ; il obtient une bourse. En 1908, il se fait connaître de l'intelligentsia juive et découvre dans la capitale une avant-garde très au courant des mouvements de l'art à Paris.
L'intérêt pour les arts africains apparaît en Europe.
Durant l'hiver 1907, Picasso commence *Les Demoiselles d'Avignon*, qui feront l'objet d'un véritable scandale.

1909

Léger installe son atelier à la Ruche [2], 2, passage de Dantzig. Il fréquente ses voisins Alexander Archipenko, Henri Laurens, Jacques Lipchitz, Chaïm Soutine et Robert Delaunay, et rencontre les écrivains Guillaume Apollinaire, Max Jacob, Maurice Raynal. Il fait aussi la connaissance du peintre Henri Rousseau. Il participe au Salon d'automne.
Picasso, après un été à Horta de Ebro, installe son atelier boulevard de Clichy (fig. 3) ; en novembre, il offre un dîner en l'honneur du douanier Rousseau, en présence d'Apollinaire et d'André Salmon.
Léger et Delaunay découvrent à la galerie Kahnweiler les œuvres de Georges Braque et de Picasso.
Chagall travaille à l'école Zvantzeva, où il découvre, grâce à son professeur Léon Bakst [3], Henri Matisse et les fauves.

1910

Frédéric Sauser et Féla séjournent à Bruxelles et vivent de petits travaux alimentaires. Frédéric travaille dans un cirque qu'il suit à Londres : il y croise un petit clown qui n'est pas encore Charlie Chaplin [4]. Il commence plusieurs manuscrits, dont *In Memoriam*, et une symphonie, *Le Déluge* [5].
Léger envoie cinq œuvres au Salon des indépendants. Il retrouve son ami d'enfance, August Suter, désormais sculpteur reconnu.
Chagall travaille à Vitebsk et rencontre sa fiancée, Bella Rosenfeld (fig. 1).

1911

En mars, Féla rejoint sa sœur Bella Wartsky à New York. En avril, Frédéric retourne à Saint-Pétersbourg : il se rend peut-être chez les Kleinmann, puis dans la famille de Féla. Il passe l'été à Streilna, où il entreprend un roman autobiographique, *Aléa*, tout en écrivant des *Séquences*, qualifiées plus tard de « péchés de jeunesse ». Grâce au billet

envoyé par Féla en novembre, Frédéric part pour New York, où il loge chez les Wartsky. Malgré une misère noire, il écrit *Les Pâques à New York* et *New York in Flashlight*, qu'il signe de son nouveau nom : Blaise Cendrars.
Chagall est arrivé à Paris, grâce au soutien de son mécène, Maxime Vinaver [6]. Installé d'abord impasse du Maine, il travaille dans les académies de la Palette et de la Grande Chaumière, puis à la nouvelle Académie russe de Marie Vassilieff [7], ouverte en novembre. Il reçoit la visite de Léon Bakst. Ses tableaux sont refusés au Salon d'automne.
Léger, domicilié 14, avenue du Maine, fréquente avec Delaunay les cercles d'artistes qui défendent leur création avant-gardiste [8]. Trois œuvres de Léger sont présentées au Salon des indépendants. Il expose au Salon d'automne parmi les cubistes de la salle VIII, où manque Picasso ; il y gagne le surnom de « tubiste ».
Picasso, Braque et Juan Gris sont à Céret d'août à septembre.

1912

Cendrars rentre en Europe le 21 mai à bord d'un cargo. Il s'installe début juillet à Paris. Son envoi d'une copie du manuscrit *Les Pâques à New York* à Apollinaire reste sans réponse. Avec Emil Szittya [9], il fonde la revue *Les Hommes nouveaux*. Dans le numéro hors série de novembre, il publie « Les Pâques ». À cette époque, Montparnasse et Montmartre sont les quartiers de Paris les plus cosmopolites : les cafés et salons grouillent d'étudiants et d'artistes, de réfugiés, de célébrités et de critiques en quête de nouveautés (fig. 2). Les groupes d'artistes se donnent des rendez-vous à jour fixe. Au restaurant Jules, Cendrars fréquente les anarchistes du Club libéral de discussion. Apollinaire invite Cendrars, directeur de revue, à l'habituelle réunion du mercredi qu'il préside au café de Flore ; il est présenté à Sonia et Robert Delaunay, qui l'accueillent ensuite fréquemment dans leur atelier, rue des Grands-Augustins.
Au printemps, Chagall déménage à la Ruche et se lie avec Apollinaire ; il fait la connaissance des Delaunay et d'André Lhote lors d'un vendredi chez Ricciotto Canudo [10].
Léger fréquente les mardis du poète Paul Fort à la Closerie des lilas, où il rencontre André Salmon, critique à la revue *Gil Blas*, et Paul Husson, le directeur de la revue *Montparnasse* [11]. Chez les frères Duchamp, Léger retrouve Albert Gleize, André Mare, Roger de La Fresnaye et Jean Metzinger pour préparer le Salon des peintres normands à Rouen, qui a lieu en juin.
À la fin de l'année, le marchand berlinois Herwarth Walden [12] et son épouse Nell sont à Paris et rencontrent Apollinaire, Léger, Gris et Chagall. Ce dernier participe à l'exposition « La Queue de l'âne » à Saint-Pétersbourg, puis, comme Léger, au Salon du Valet de carreau à Moscou. Alors que Léger et Picasso sont des habitués des salons, Chagall expose pour la première fois au Salon des indépendants avec *Dédié à ma fiancée*, œuvre considérée comme obscène, retirée dès l'ouverture [13]. Au Salon d'automne, Chagall, recommandé par Delaunay, Henri Le Fauconnier et le sculpteur Kogan, peut exposer trois tableaux. Léger expose *La Femme en bleu* et accroche *Le Passage à niveau* dans le salon de la *Maison cubiste*, une architecture créée par André Mare et Raymond Duchamp-Villon.
Le 12 octobre, hormis Picasso et Braque, le Salon de la Section d'or [14] réunit les peintres, les écrivains et tous les critiques. Au musée municipal d'Amsterdam, Conrad Kickert organise le salon du « Moderne Kunstkring » (Cercle de l'art moderne) avec les œuvres de Léger, Braque, Picasso, Le Fauconnier… Cendrars va régulièrement à la Ruche voir Chagall et retrouve Léger au tabac des Cinq Coins ou dans son atelier, 13, rue de l'Ancienne-Comédie.
Picasso commence les collages et assemblages de carton. Il déménage encore, boulevard Raspail (à Montparnasse), et signe un contrat avec Daniel-Henry Kahnweiler en décembre.

1913

Au printemps, Cendrars se casse une jambe. Profitant de sa convalescence, il peint vingt-huit tableaux – un par jour. Il écrit la plupart des *Dix-neuf poèmes élastiques* [15]. Ses amis peintres y figurent en bonne place, notamment Chagall ; celui-ci termine alors l'*Hommage à Apollinaire*. Cendrars est désormais proche d'Apollinaire qui lui confie des travaux [16]. Ils se rendent à Berlin, chez Walden, avec les Delaunay [17].

Fig. 2 *Le Dôme*, Montparnasse

Fig. 3 *Guillaume Apollinaire dans l'atelier de Picasso, boulevard de Clichy*, 1910
Photographie prise vraisemblablement par Picasso
Archives musée Picasso

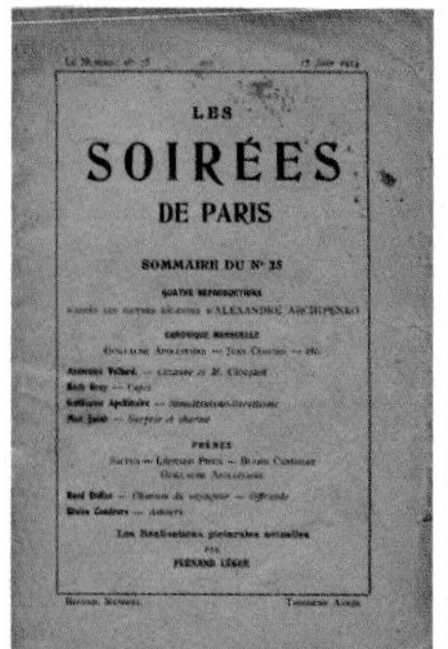

LES
SOIRÉES
DE PARIS

SOMMAIRE DU N° 25

Les Réalisations picturales actuelles
par
FERNAND LÉGER

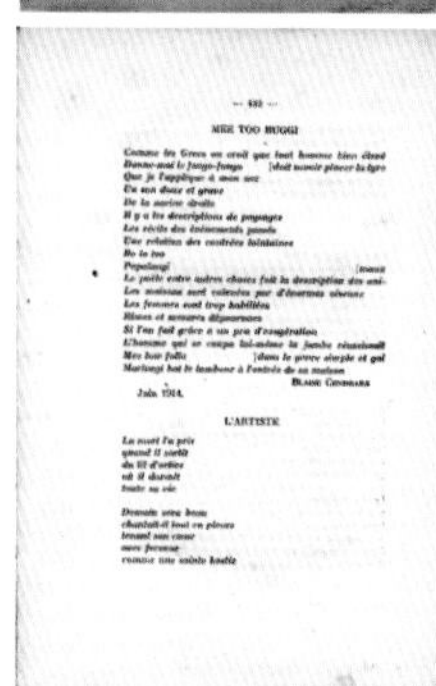

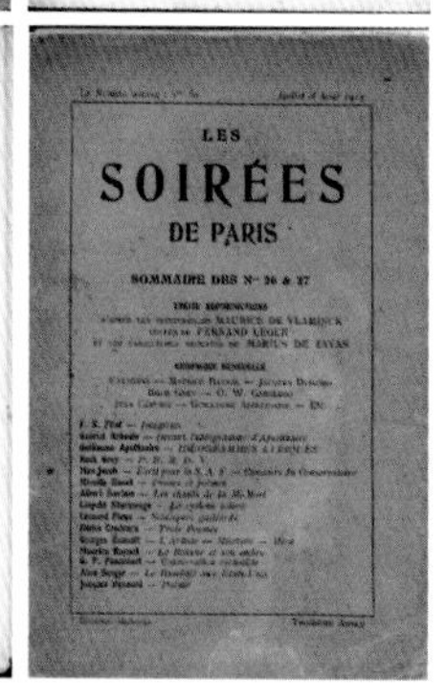

LES
SOIRÉES
DE PARIS

SOMMAIRE DES N°s 26 & 27

FERNAND LÉGER

Fig. 4-5 *Les Soirées de Paris*, revue critique et littéraire, n° 25, 15 juin 1914
Poèmes de Cendrars, p. 339, extrait de « Fantômas » (cat. 40)

Fig. 6-7 *Les Soirées de Paris*, revue critique et littéraire, n°26-27, 15 juillet-15 août 1914
Poèmes de Cendrars, p. 432, « La Pitié » repris plus tard comme « L'Atelier ». (cat. 41)

Fig. 8 *Blaise Cendrars en uniforme, Le soldat décoré n'a plus qu'un bras*, 1916
Berne, Bibliothèque nationale suisse, Fonds Blaise Cendrars

Picasso et Léger participent à l'Armory Show, à New York, puis à Chicago et Boston – événement important pour le développement de l'art moderne aux États-Unis.
Au printemps, Chagall participe à une exposition organisée à Moscou par le groupe du Valet de carreau [18]. Avec Alfred Kubin, il expose dans les locaux de la revue *Der Sturm*, pour laquelle il réalise aussi des illustrations.
En mars, Léger participe au Salon des indépendants et, le 5 mai, à l'académie Vassilieff, il donne une conférence : « Essai sur les origines de la peinture contemporaine et sur sa valeur représentative [19] ».
À Berlin, le premier Salon d'automne allemand, chez Walden à la galerie *Der Sturm*, présente de nombreux artistes français, dont Léger et Chagall [20]. Cendrars et Sonia Delaunay y exposent leur *Prose du Transsibérien et de la petite Jehanne de France* – premier livre simultané [21].
Léger signe un contrat d'exclusivité avec Daniel-Henry Kahnweiler, puis reprend l'atelier du peintre Henri Le Fauconnier, 86, rue Notre-Dame-des-Champs, qu'il gardera jusqu'à la fin de sa vie.
Picasso s'installe rue Schœlcher.

1914

Les poèmes de Cendrars consacrés à Chagall sont publiés dans le journal *Der Sturm* et dans la revue *Les Soirées de Paris* [22]. Plus tard, le poème « Rotsoge » d'Apollinaire, publié dans *Der Sturm*, salue également le travail de Chagall. Celui-ci signe un contrat avec le galeriste Malpel. Encouragé par Canudo, il approche également le riche mécène Jacques Doucet, qui refuse toute proposition. Il participe, comme Léger, au Salon des indépendants. Léger, Chagall, Picasso et Cendrars sont très liés avec la communauté des artistes russes installés à Paris, tels que Larionov et Gontcharova, Ehrenbourg, Lounatcharsky…
Naissance d'Odilon [23], le premier fils de Blaise et Féla Cendrars.
Le 9 mai, à l'académie de Marie Vassilieff, Léger donne sa deuxième conférence : « Les réalisations picturales actuelles [24] ». Le critique Iakov Tugendhold publie, sous le nom de « Sillart », un article sur Chagall dans la prestigieuse revue russe *Apollon*.
Cendrars fait partager à Apollinaire et Max Jacob sa fascination pour la série des aventures de Fantômas de Gustave Le Rouge. Apollinaire signale à Picasso la publication du poème « Fantômas » de Cendrars dans *Les Soirées de Paris* [25] (fig. 4-5).
En mai-juin a lieu la première exposition personnelle de Chagall à Berlin, à la galerie *Der Sturm*. Il quitte alors Paris pour Berlin, avec l'intention de continuer son voyage vers l'est pour aller revoir Bella. À son arrivée en août à Vitebsk, la guerre est déclarée : il ne peut pas retourner en France.
Le 1er août, Léger est mobilisé à Versailles. Cendrars et Canudo rédigent un appel aux étrangers, publié dans *Le Gaulois* et *Le Figaro* [26]. Cendrars, volontaire de première classe, est incorporé au troisième régiment de marche de la Légion étrangère. Apollinaire, de son côté, est enrôlé en décembre 1914.
Picasso part en juin en Avignon.

1915

Le 28 septembre, Cendrars est grièvement blessé lors de la grande offensive de Champagne. De l'hôpital de Sceaux, il fait part à Apollinaire de l'amputation [27] (fig. 8). Sa main coupée le fera ensuite souffrir toute sa vie. Il se retrouve seul à Montparnasse : ceux de ses amis qui ne sont pas au front ont fui Paris.
Du front, Léger correspond avec Jeanne Lohy, à qui il a confié la garde de son atelier. Max Jacob, puis Larionov et Gontcharova y logent successivement. Les artistes prennent régulièrement des nouvelles du front ; ainsi Picasso écrit à Gertrude Stein : « Apollinaire est déjà sur le front et Serge [Jastrebzoff, dit "Férat"] est parti. Léger a fait une scul[p]ture pour un arbre, il a été félicité par le président de la République [28]. »
Au cours de leurs permissions, Cendrars et Léger découvrent « Charlot » au cinéma.
Chagall, à Vitebsk, revient à des sujets familiers : sa ville, sa famille.

1916

En janvier, au cours d'une permission, Léger peint *Le Soldat à la pipe* [29].
Cendrars, naturalisé le 16 février, et sa famille occupent temporairement l'atelier des Delaunay, partis au Portugal. Il se remet à écrire difficilement de sa main gauche :

le poème « La Guerre au Luxembourg », paru chez Daniel Niestlé, est illustré par Moïse Kisling [30], autre volontaire engagé et blessé à la guerre.
Le 17 mars, Apollinaire est blessé aux Bois-des-Buttes.
Au front, le brancardier Léger exécute, malgré son épuisement, quelques rares peintures qui décorent l'abri de son capitaine [31].
Le 9 avril, naissance de Remy, le deuxième fils de Cendrars [32]. Pendant cette période et ensuite, Féla et les enfants, avec peu de ressources, déménagent de Cannes à Nice, puis dans l'arrière-pays niçois, en Angleterre, à San Remo, et enfin de nouveau à Nice.
En mai, Jean Cocteau présente Serge Diaghilev à Picasso, qui accepte de collaborer au ballet *Parade* (chorégraphie de Léonide Massine, sur une musique d'Erik Satie, livret écrit par Cocteau), pour les Ballets russes. C'est pour lui l'occasion d'échapper aux pesanteurs de la guerre et de rencontrer la danseuse Olga Khoklova.
Jacques Doucet, le couturier mécène, offre à Cendrars une mensualité pour un chapitre de *L'Eubage*, qui en comprend douze. À la fin de l'année, Eugenia Errázuriz, riche collectionneuse et mécène, fait la connaissance de Cendrars et de Picasso [33].
Les tableaux de Chagall laissés à Berlin chez Walden sont pour partie vendus à sa femme, Nell, suédoise, afin de les soustraire aux réquisitions allemandes comme biens russes. Le montant de la vente est remis à un homme de loi, en attente du retour de Chagall.

1917

En janvier, Picasso, Léger et Cendrars se retrouvent au banquet organisé par Marie Vassilieff pour célébrer la convalescence de Braque. Dans la nuit du 1er septembre, Cendrars écrit d'un jet *La Fin du monde filmée par l'ange Notre-Dame*. Il publie *Profond aujourd'hui* [34].
En février, Picasso part avec Cocteau à Rome. Après un voyage à Naples et à Pompéi, ils rentrent à Paris, où a lieu, le 18 mai, au Théâtre du Châtelet, la première de *Parade*. Picasso suit la troupe qui se déplace à Madrid et à Barcelone.
L'intervention d'Eugenia Errázuriz permet à Cendrars de devenir, avec Jean Cocteau, directeur littéraire des Éditions de la Sirène fondées par Pierre Laffite. Cendrars fait la connaissance de la comédienne Raymone Duchâteau. En novembre, Cendrars, Cocteau, Reverdy, Salmon, Jacob rendent hommage à Apollinaire, lisent leurs poèmes et ceux de leur héros blessé [35].
En Russie, Chagall, intégré aux milieux juifs libéraux de la capitale, adhère à la révolution russe. Il devient commissaire des Beaux-Arts de la région de Vitebsk, où il crée une école d'art. À Paris, on le croit mort [36] et, à Dresde, un escroc se fait passer pour lui.

1918

La revue *Der Sturm* publie en janvier les poèmes de Cendrars sur Chagall [37]. En février, Picasso expose avec Matisse à la galerie Paul Guillaume. Cendrars contacte Picasso pour une édition d'album aux Éditions de la Sirène [38]. En juillet, au mariage de Picasso et d'Olga, les témoins sont Max Jacob, Apollinaire et Cocteau. L'été, en voyage de noces, Picasso et Olga logent à « La Mimoseraie » à Biarritz, chez Eugenia Errázuriz (fig. 11). Le peintre retrouve le thème du bain et des baigneuses [39], qu'il utilise pour décorer de fresques les murs de la chambre bleue, avec une citation d'Apollinaire [40].
Raymone achète au Tremblay-sur-Mauldre (Yvelines) une petite maison qui devient le refuge de Cendrars.
Léger signe un nouveau contrat avec Léonce Rosenberg, directeur de la galerie de *L'Effort moderne*. Les éléments mécaniques deviennent les motifs de ses compositions et il intègre à ses paysages des affiches publicitaires, des fragments d'architecture et des échafaudages. Il peint aussi une série d'œuvres sur le cirque.
Publication de *J'ai tué* de Cendrars, illustré par Léger. Ce texte brise un tabou propre au genre du « témoignage de poilu », celui de la mort donnée dans le corps à corps [41].
Cendrars, Picasso, Léger se retrouvent à l'enterrement d'Apollinaire, décédé le 9 novembre. La même semaine, Picasso emménage dans un quartier cossu de Paris, au 23, rue La Boétie.
Léger épouse Jeanne Lohy le 2 décembre.
Chagall fait venir comme professeurs dans son école d'art de Vitebsk Malevitch et Lissitsky. Il peint les tableaux les plus célèbres de sa « période russe ».

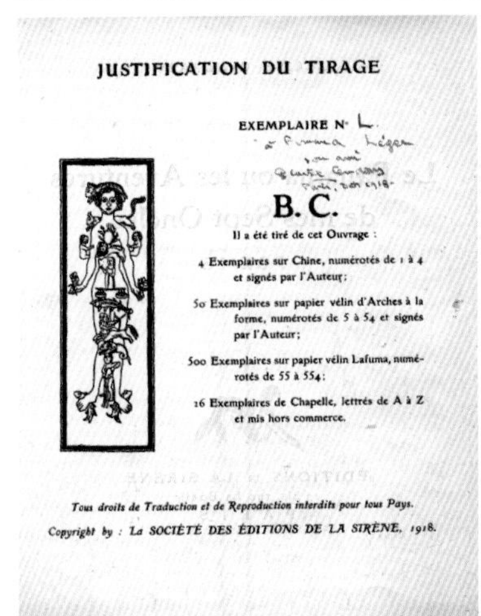
JUSTIFICATION DU TIRAGE

EXEMPLAIRE N° L.

B. C.

Il a été tiré de cet Ouvrage :

4 Exemplaires sur Chine, numérotés de 1 à 4 et signés par l'Auteur;

50 Exemplaires sur papier vélin d'Arches à la forme, numérotés de 5 à 54 et signés par l'Auteur;

500 Exemplaires sur papier vélin Lafuma, numérotés de 55 à 554;

26 Exemplaires de Chapelle, lettrés de A à Z et mis hors commerce.

Tous droits de Traduction et de Reproduction interdits pour tous Pays.

Copyright by : La SOCIÉTÉ DES ÉDITIONS DE LA SIRÈNE, 1918.

Fig. 9-10 Blaise Cendrars
Le Panama ou les Aventures de mes sept oncles, dont la couverture est dépliée, Éditions de la Sirène, 1918
Exemplaire de chapelle, dédicacé à Fernand Léger
Collection particulière (cat. 42)

Fig. 11 *Olga et Picasso à Biarritz chez Mme Errázuriz,* 1918
Carte postale adressée par Olga Picasso à Jacqueline Apollinaire
Archives musée Picasso

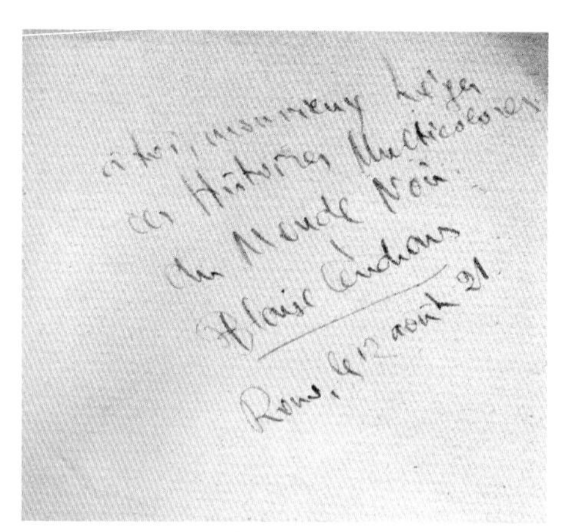

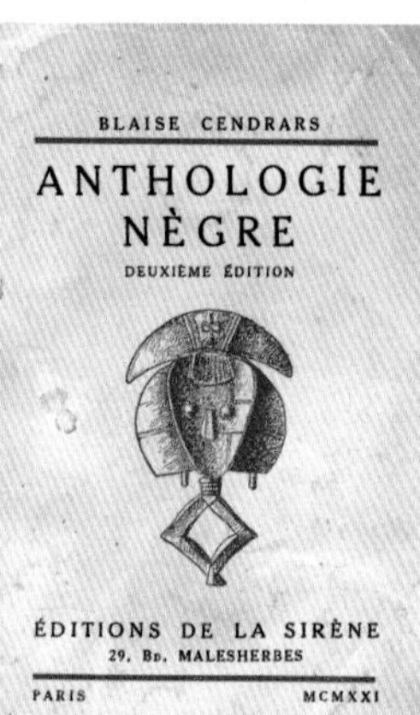

Fig. 12-13
Blaise Cendrars
Anthologie nègre, 1921
Page dédicacée
à Fernand Léger
et couverture
Collection particulière
(cat. 55)

Fig. 14-15
Revue *Broom,*
janvier 1922
(cat. 58)

Revue *Broom,*
juilllet 1922
(cat. 59)

Couvertures gravées
par Fernand Léger
Paris, Centre Georges
Pompidou, Musée
national d'Art
moderne/Centre de
création industrielle,
Bibliothèque Kandinsky

1919

Du 5 au 28 février, exposition Léger à la galerie de Léonce Rosenberg, où Cendrars et Satie donnent une matinée poétique et musicale [42]. Cendrars devient secrétaire de rédaction de *La Rose rouge* [43]. Il lance dans le premier numéro une formule qui deviendra célèbre : « Le bloc cubiste s'effrite [...] », puis, dans les numéros suivants, « Modernités : Pablo Picasso, Fernand Léger [44] »...
Rencontre de Cendrars et de René Hilsum, créateur de la revue *Dada Littérature* et des éditions Au Sans Pareil [45].
Aux Éditions de la Sirène, Cendrars publie *La Fin du monde filmée par l'ange Notre-Dame*, illustré par Léger [46]. En février, Paul Guillaume charge Cendrars de sa « fête nègre », un événement organisé au Théâtre des Champs-Élysées.
En mai, Picasso se rend avec Olga et André Derain à Londres pour les décors du ballet *Tricorne* monté par les Ballets russes (musique de Manuel De Falla). L'été, Picasso et Olga vont chez Eugenia Errázuriz à Biarritz, avant un séjour à Saint-Raphaël.
Léger cherche des amateurs pour ses œuvres, ainsi qu'un traducteur et un éditeur pour *La Fin du monde*, à l'occasion de déplacements en Norvège et en Suède. Au retour, à Londres, il assiste à une soirée des Ballets russes.
Le 20 octobre, vernissage de l'exposition des dessins de Picasso chez Paul Rosenberg, 21, rue La Boétie.
Chagall est en butte à la fronde des professeurs de son école, Malevitch, Lissitsky, Pougny, tous suprématistes et ligués contre lui.
En décembre, naît à Hove (Grande-Bretagne), Miriam, le troisième enfant de Féla et Cendrars.

1920

Léger, Cendrars et Constantin Brancusi assistent ensemble au premier festival Dada, à Paris. Léonce Rosenberg propose à Léger de publier un album sur le cirque. Cendrars, sollicité par Léger pour en écrire le texte, répond avec réticence [47].
Raymond Radiguet participe désormais aux revues *Le Coq* et *L'Arlequin*, publiées aux Éditions de la Sirène. Picasso fait son portrait.
Parution Au Sans Pareil du livre de Philippe Soupault, *La Rose des vents*, avec des illustrations de Chagall données par Cendrars.
Pour Yvan Goll, Léger illustre *Die Chaplinade* [48], avec Charlot, et *Astral.*
Chagall abandonne son école d'art. Il s'installe à Moscou où il peint le décor du théâtre juif Kamerny. Il ne reçoit aucune commande de l'État et connaît des difficultés.

1921

En février, naissance de Paul Picasso et installation de la famille à Fontainebleau.
Léger rencontre le peintre Gerald Murphy [49] : c'est le début d'une longue et constante amitié qui amènera Léger, souvent accompagné de Cendrars, à fréquenter de nombreux artistes et écrivains américains [50]. Cendrars fait de la figuration dans le film *J'accuse* d'Abel Gance et devient ensuite son assistant.
Après l'échec du film qu'il a tourné à Rome, *La Vénus noire*, Cendrars revient à Paris.
Publication de son *Anthologie nègre* aux Éditions de la Sirène. La couverture du volume est illustrée par Joseph Csaky [51] (fig. 12-13).
Chagall commence son autobiographie poétique, *Ma vie* [52]. Pour survivre, il a accepté le poste de professeur de peinture pour les orphelins de la colonie de Malakhovka.

1922

Cendrars et Léger sont inséparables : ils partagent leurs centres d'intérêt, comme en témoigne leur ami, l'écrivain belge Robert Guiette [53]. *Profond aujourd'hui* de Cendrars est publié par la revue américaine *Broom* (fig. 14-15).
Picasso peint le nouveau rideau de scène pour *L'Après-Midi d'un faune* produit par les Ballets russes, avec Bronislava Nijinski dans le rôle du faune.
Le 20 janvier, les Ballets suédois dirigés par Rolf de Maré, installés en 1920 à Paris, produisent, au Théâtre des Champs-Élysées, la première de *Skating Rink* (d'après le poème de Ricciotto Canudo, « Skating Ring à Tabarin », musique d'Arthur Honegger, chorégraphie de Jan Börlin, décors et costumes de Léger).
Les fêtes à Montparnasse continuent : participation de Léger et Cendrars à la « Fête de nuit » organisée le 30 juin au bal Bullier [54].
Picasso passe l'été à Dinard. Cendrars est à Biarritz jusqu'en octobre.

Cendrars, assistant d'Abel Gance sur le tournage de *La Roue*, attire Léger sur les plateaux. Ce dernier dessine l'affiche du film et rédige un « Essai critique sur la valeur plastique du film d'Abel Gance *La Roue* », publié dans *Comœdia*[55].
Le 1er juillet, Paul Husson reprend la parution de la revue *Montparnasse* qui fait souvent référence à Cendrars.
Le projet de *La Création du monde* par les Ballets suédois réunit Cendrars, pour l'argument inspiré de son *Anthologie nègre* (1921), Darius Milhaud, pour la partition, et Léger, pour les décors et les costumes.
En décembre, Picasso achève le décor pour l'*Antigone* de Jean Cocteau, créée par Charles Dullin au théâtre de l'Atelier.
Chagall reçoit une lettre du poète Ludwig Rubiner, également ami de Cendrars : « Viens, ici, tu es célèbre[56] », et décide de quitter la Russie pour Berlin. Il part seul, sans Bella blessée dans une chute, et passe par Kaunas en Lituanie, où il fait une première lecture de *Ma vie*. Cette fois, il peut emporter ses œuvres[57].
À Berlin, il retrouve Archipenko, évite Lissitsky, rencontre le marchand Paul Cassirer, qui lui propose d'éditer *Ma vie*, illustrée de ses gravures[58]. Scofield Thayer, directeur de revue et collectionneur new-yorkais, lui achète plusieurs tableaux et contribue à le faire connaître aux États-Unis. Chagall assigne Walden pour récupérer ses tableaux à la place de l'argent bloqué lors de leur vente, désormais complètement dévalué. Dès son arrivée, il participe à des expositions.

1923 Chagall passe le printemps et l'été en famille en Forêt-Noire.
Picasso passe l'été au cap d'Antibes et fréquente ses voisins, les Murphy.
Léger est chargé par Marcel L'Herbier de réaliser le décor du laboratoire de son film *L'Inhumaine*.
Première du ballet *La Création du monde* le 25 octobre (argument de Cendrars, costumes et décors de Léger, musique de Darius Milhaud).
Cendrars rencontre à Paris Paul Prado, planteur de café, riche mécène du mouvement moderniste brésilien, Tarsila do Amaral, peintre, et son mari Oswald de Andrade, poète. Il les conduit dans les ateliers de Léger, Braque, Delaunay, Chagall[59].
À l'automne, la famille Chagall arrive à Paris.
À la fin de l'année, Léger tourne avec Dudley Murphy[60] les premières images de son *Ballet mécanique* et demande à George Antheil une partition pour un synchronisme musical.

1924 Cendrars s'éloigne de Raymone, demande de la patience à Féla. En février, il part au Brésil, invité par Paul Prado. À bord du *Formose*, il écrit *Feuilles de route*[61] et le script du ballet *Relâche*, qu'il envoie à Erik Satie pour les Ballets suédois. À São Paulo, il donne, entre autres, une conférence sur les « Tendances générales de l'esthétique contemporaine », accompagnée d'une exposition d'œuvres parisiennes de ses amis brésiliens. Il adresse des cartes postales à Picasso[62].
À Montparnasse, la fête continue : Léger participe avec Jan Börlin, Marie Vassilieff et Olga Khoklova au « Bal olympique » organisé par l'Union des artistes russes à Paris. Picasso, en toréador, Olga et Eugenia Errázuriz assistent au grand bal costumé du comte Étienne de Beaumont.
Picasso réalise les décors de scène pour *Mercure* (musique de Satie, première le 18 juin) et pour *Le Train bleu* (musique de Milhaud, première le 20 juin). Il s'installe pour l'été à la villa « La Vigie » à Juan-les-Pins.
Léger, qui a ouvert son Académie moderne de peinture, se rend à Vienne, à l'inauguration de l'Exposition internationale de théâtre, pour la première projection du *Ballet mécanique*.
Chagall s'installe avenue d'Orléans. Il constate que son atelier de la Ruche a été vidé. Il en accuse ses anciens amis parisiens. Cendrars lui fait rencontrer Vollard, qui lui demande d'emblée d'illustrer par des gravures une édition des *Âmes mortes* de Gogol.
À Berlin est édité le portfolio *Mein Lieben* (*Ma vie*) avec les gravures de Chagall, mais sans le texte. Chagall renoue avec Zadkine, son ancien condisciple chez Pen. Il travaille à refaire les œuvres perdues à la suite de son départ de France en 1914 et déménage pour un pavillon à Boulogne.

Fig. 16 *Marc, Bella et Ida Chagall dans un jardin*, Berlin, 1923
© Archives Marc et Ida Chagall, Paris (cat. 195)
Fig. 17 *Marc Chagall et Bella, posant pour « Le Double Portrait »*, Paris, 1925, © Archives Marc et Ida Chagall, Paris (cat. 198)
Fig. 18 *Féla lisant un livre avec Charlot en couverture*, vers 1925
Berne, Bibliothèque nationale suisse, Fonds Blaise Cendrars (cat. 201)

Fig. 19 *Le Corbusier, Fernand Léger, Yvonne Galis et Blaise Cendrars au Tremblay-sur-Mauldre*, 1931
Berne, Bibliothèque nationale suisse, Fonds Blaise Cendrars (cat. 74)

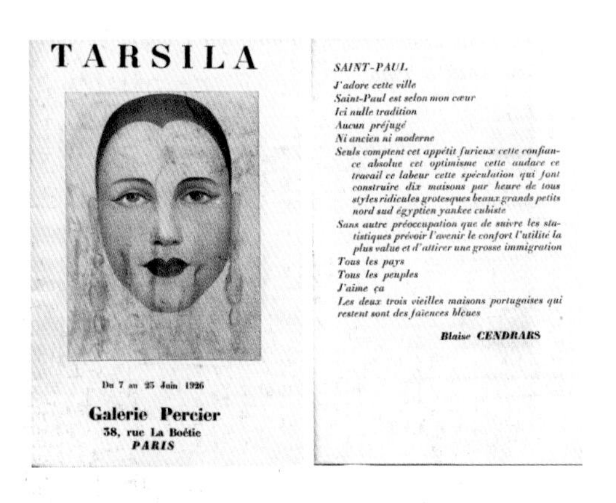

TARSILA

Du 7 au 25 Juin 1926

Galerie Percier
38, rue La Boétie
PARIS

SAINT-PAUL

J'adore cette ville
Saint-Paul est selon mon cœur
Ici nulle tradition
Aucun préjugé
Ni ancien ni moderne
Seuls comptent cet appétit furieux cette confiance absolue cet optimisme cette audace ce travail ce labeur cette spéculation qui font construire dix maisons par heure de tous styles ridicules grotesques beaux grands petits nord sud égyptien yankee cubiste
Sans autre préoccupation que de suivre les statistiques prévoir l'avenir le confort l'utilité la plus value et d'attirer une grosse immigration
Tous les pays
Tous les peuples
J'aime ça
Les deux trois vieilles maisons portugaises qui restent sont des faïences bleues

Blaise CENDRARS

Fig. 20-21 Catalogue de l'exposition Tarsila do Amaral à la galerie Percier, juin 1926. Poèmes de Blaise Cendrars
Biot, Musée national Fernand Léger (cat. 71)

Fig. 22 *Yvan et Claire Goll avec Marc, Bella et Ida Chagall*, Bois-de-Cise, Normandie, mars 1924
© Archives Marc et Ida Chagall, Paris (cat. 199)

1925 En avril, Picasso est à Monte-Carlo.
Sans revenus, Cendrars se réfugie à Biarritz, chez Eugenia Errázuriz, et travaille à *Moravagine*. Première édition de *L'Or, la merveilleuse histoire du général Johan Auguste Sutter*, chez Grasset.
Léger fait scandale à l'Exposition internationale des arts décoratifs : son panneau mural abstrait installé dans le pavillon conçu par Robert Mallet-Stevens est retiré sur ordre des commissaires. Pour le pavillon de *L'Esprit nouveau* [63], Le Corbusier invite Léger, Picasso, Braque et Amédée Ozenfant à prêter des œuvres.
Léger, Jeanne et les amis brésiliens réveillonnent chez Blaise et Raymone au Tremblay-sur-Mauldre [64].

1926 Cendrars retourne au Brésil. De janvier à juin chez Paul Prado, il poursuit la rédaction de *Moravagine*. Il demande à Léger de s'occuper de l'exposition de Tarsila do Amaral à la galerie Percier [65]. En octobre paraît *L'ABC du cinéma*, manifeste qui élève le cinéma au rang de septième art. Cendrars s'éloigne de la peinture avec *Pour prendre congé des peintres*, préface à un recueil d'extraits de Rudyard Kipling [66].
Exposition Picasso à la galerie Paul Rosenberg.
Chagall trouve un arrangement qui met fin au procès avec Walden et reçoit de Nell trois tableaux. Il signe un contrat avec la galerie Bernheim-Jeune, qui lui assure un revenu régulier. Il s'installe villa Montmorency, à Auteuil, et s'éloigne du milieu de Montparnasse.

1927 Cendrars termine *Le Plan de l'Aiguille*. En février, il apprend le décès de son père en Suisse.
Picasso rencontre Marie-Thérèse Walter qui devient sa maîtresse.
En août, Cendrars repart au Brésil (jusqu'en janvier 1928) et écrit *Feuilles de route III*, publié dans la revue *Montparnasse*.
Léger peint *ABC* [67].
Chagall, interrogé pour la revue *L'Art vivant*, parle de Charlie Chaplin, qu'il représente à cette époque.

1928 Cendrars fait la connaissance de l'affichiste Cassandre [68]. En novembre, dans la nouvelle maison d'Eugenia Errázuriz, « L'Angostura », il travaille à la réalisation de slogans publicitaires. Il participe à la création de la revue *Orbes*, dirigée par ses amis Jacques-Henry Levêque et Jean Van Heeckeren.
À Berlin, rétrospective Léger en février-mars à la galerie Flechtheim, avec cent cinquante œuvres. Le peintre y donne une conférence intitulée « Actualités », dédiée à Le Corbusier.
Publication de *Picasso et la tradition française, notes sur la peinture actuelle* de Wilhelm Uhde [69].

1929 René Hilsum publie Au Sans Pareil *Le Plan de l'Aiguille* et *Les Confessions de Dan Yack* de Cendrars.
Seule avec les enfants, Féla réside à Nice.
En décembre, parution de la monographie *Fernand Léger* par Tériade [70].
Picasso passe ses dernières vacances d'été à Dinard.

1930 Le 16 avril, Féla rejoint Cendrars à Biarritz chez Eugenia Errázuriz pour obtenir de Blaise un rapprochement avec les enfants. L'été, à Hyères, il reçoit avec Raymone Odilon et Remy.
Nouvelle parution des articles de Cendrars sur les peintres dans *Aujourd'hui*, chez Grasset.

1931 Cendrars et Vollard rassemblent des dessins de Picasso qui servent à l'illustration du *Chef-d'Œuvre inconnu* de Balzac [71] édité en 1933.

1933 La Suisse honore, coup sur coup, Picasso au Kunsthaus de Zurich, puis Braque et Léger à la Kunsthalle de Bâle.
Orbes réunit dans son n° 2 Cendrars et Léger.

1934 Devenu grand reporter, Cendrars rencontre Henry Miller.
Des quotidiens ouvrent leurs colonnes aux récits de voyage de Léger [72]. En avril, il expose à la galerie Vignon ses *Objets*. En juillet, il se repose chez les Murphy à Antibes et, en août, à la demande du metteur en scène Alexandre Korda, il va travailler à Londres aux décors du film *The Shape of Things to Come* d'après H. G. Wells. Ses projets ne seront finalement pas utilisés.

1935 En octobre, deuxième séjour aux États-Unis de Léger, en compagnie de Simone Herman, pour assister à une rétrospective de ses œuvres présentée à New York, puis à Chicago.
Divorce d'Olga et Picasso, et naissance en septembre de Maya, la fille de Marie-Thérèse Walter.

1936 Pierre Lazareff, directeur de *Paris-soir*, envoie Cendrars à Hollywood pour un reportage : « Hollywood, la Mecque du cinéma ». Pour *Gringoire*, il part également en Espagne enquêter sur les aides françaises aux républicains espagnols (articles non publiés). Léger rentre des États-Unis en mars. Il s'engage aussitôt pour le Front populaire.

1937 En janvier, Picasso travaille au Tremblay-sur-Mauldre.
À cause de ses activités en Russie après la révolution, Chagall n'obtient sa naturalisation française, avec l'aide de Jean Paulhan, qu'à la troisième demande.

1940-1943
Léger se réfugie à New York, ainsi que Chagall en 1941. Ils se retrouvent en 1942 lors de l'exposition « Artists in Exile » à la galerie Pierre Matisse [73].
Après s'être engagé en 1939 comme correspondant de guerre dans l'armée anglaise, Cendrars se retire à Aix-en-Provence. Ses fils sont faits prisonniers en Allemagne et sa fille travaille à la BBC à Londres, auprès du général de Gaulle. En 1943, il se remet à écrire *L'Homme foudroyé* et travaille sur le projet de *La Carissima*, inspiré par le sanctuaire de Marie-Madeleine à la Sainte-Baume, mais jamais terminé. Il apprend le décès de Féla.

1944 Bella Chagall meurt sans être rentrée en France.
Picasso adhère au parti communiste français.

1945 Retour de Léger, qui adhère lui aussi au PCF.
Denoël, désormais l'éditeur de Cendrars, publie *L'Homme foudroyé*, où l'écrivain évoque ses rencontres avec Léger et Gustave Le Rouge en 1923.

1946 Publication de *La Main coupée* chez Denoël, avec une dédicace à ses fils (Remy est mort en 1945).

1947 Léger dessine les illustrations pour l'album *Cirque*, à la demande de l'éditeur Tériade. Il contacte Henry Miller pour l'écriture du texte qui ne sera finalement pas utilisé [74].
C'est sans doute à cette période que Léger et Cendrars renouent des relations.

1948 Retour de Chagall en France.
Cendrars connaît le projet de la basilique universelle de la Paix et du Pardon, mené par Édouard Trouin [75] et Le Corbusier, au plan d'Aups, près de la Sainte-Baume, qui réunit de nombreux intellectuels, dont Léger [76]. Chez Denoël paraît *Bourlinguer*, dont le chapitre « La Corogne, le démon de la peinture » évoque Picasso et son père.

1949 Cendrars épouse Raymone à Sigriswil, en Suisse, et renoue avec son pays et sa famille.

1950 L'album *Cirque*, avec des illustrations et des textes de Léger, est accueilli avec enthousiasme par Miller et Cendrars [77].

1953 Louis Carré réunit dans sa galerie, lors de l'exposition « Paysage dans l'œuvre de Léger »,

Fig. 23 *Marc Chagall*, Paris, 1924
© Archives Marc et Ida Chagall, Paris (cat. 200)

Fig. 24 *Ambroise Vollard, au centre, André Derain, Marc Chagall, Bella et Ida*, Paris, vers 1924
© Archives Marc et Ida Chagall, Paris (cat. 197)

Fig. 25 *Léger, Cendrars et Raymone à la ferme de Fernand Léger à Lisores*, vers 1954
Photographie Daniel Wallard

le peintre et Cendrars. L'enregistrement de leur conversation est publié en 1956 par la galerie, après la mort de Léger.

1954 L'éditeur Tériade commande à Cendrars et Léger le projet de *Paris ma ville*. Cendrars refuse à l'éditeur de couper certains paragraphes. Le portfolio des gravures seules de Léger est imprimé en 1959 par Mourlot, sous le titre *La Ville*.

1955 Fernand Léger meurt à Gif-sur-Yvette le 17 août. Cendrars écrit *J'ai vu mourir Fernand Léger*[78]…

1956 En préface à l'album *Dessins de guerre* de Fernand Léger[79], Cendrars écrit *La Grande Copine*, où il se met en scène avec Léger, sa femme Jeanne et d'autres artistes de Montparnasse.

1960 Chagall et Cendrars se seraient réconciliés[80], juste quelques semaines avant la mort de ce dernier.

1961 Blaise Cendrars meurt à Paris le 21 janvier.

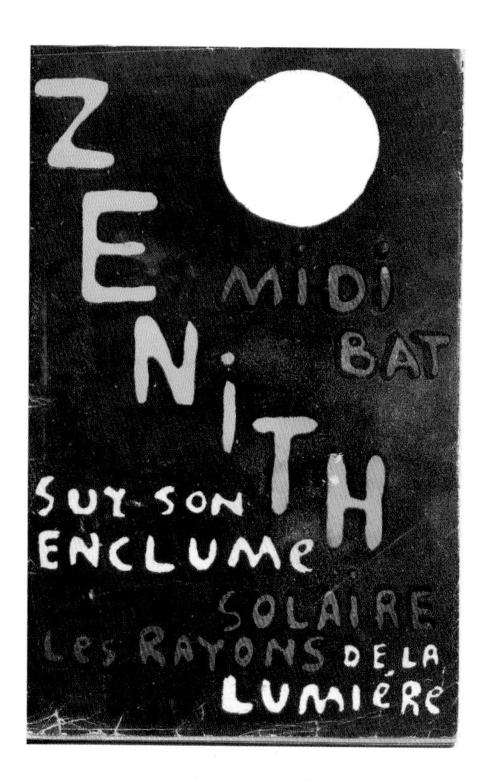

Fig. 26 Première page de couverture du numéro spécial *Salut Blaise Cendrars* de la revue *Risque*, mai 1954 (fondée en 1950)
Jaquette exécutée d'après un projet d'affiche de 1913 de Sonia Delaunay-Terk sur une proposition de slogan publicitaire de Blaise Cendrars
Biot, Collection Musée national Fernand Léger (cat. 78)

Fig. 27 *Fernand Léger et Blaise Cendrars à Trouville*, vers 1954
Photographie Daniel Wallard

Notes

1. *Novgorode, la légende de l'or gris et du silence.* L'ouvrage aurait été édité en quatorze exemplaires par un mystérieux ami moscovite. Cendrars l'a toujours placé en tête de sa bibliographie. Un exemplaire, sur lequel des doutes sont émis, est retrouvé en 1995. Voir Oxana Khlopina, *Blaise Cendrars : une rapsodie russe*, thèse, juin 2007, université Paris X-Nanterre.
2. La Ruche – ensemble d'ateliers d'artistes à loyers modiques, installés en 1902 par le sculpteur Alfred Boucher à partir d'éléments architecturaux récupérés de pavillons de l'Exposition universelle de 1900 – se trouve au cœur du quartier du Montparnasse.
3. Léon Bakst, décorateur des Ballets russes, vient à Paris à l'occasion de leurs tournées en Europe et visite Chagall.
4. Miriam Cendrars, *Blaise Cendrars*, Balland, 1984, p. 172. Nouvelle édition revue et augmentée, *Blaise Cendrars. La vie, le verbe, l'écriture*, Denoël, 2006.
5. Cendrars est un très bon pianiste et songe un temps à la composition.
6. De nombreuses divergences existent à ce sujet selon les biographes. Voir note 1 du texte d'Élisabeth Pacoud-Rème, « États d'âme, Chagall et Cendrars, de l'amitié au doute » dans le présent catalogue.
7. Marie Vassilieff (1884, Smolensk – 1957, Nogent-sur-Marne), boursière pour les cours d'Henri Matisse à Paris, en 1907. Avec d'autres artistes russes, elle crée l'Académie russe, qu'elle quitte en 1912 pour fonder sa propre académie, 21, avenue du Maine. En 1914, engagée comme ambulancière dans l'armée française, elle ouvre une cantine pour les artistes dans son académie.
8. Léger et Delaunay se retrouvent chaque lundi aux réunions du groupe de Courbevoie dans l'atelier de Gleize. Albert Gleize, *Souvenirs inédits*, cité par J. Golding, dans *Le Cubisme*, Paris, Julliard, 1965, p. 23.
9. Journaliste et écrivain allemand, Emil Szittya fonde la revue *Neue Menschen*, qui, faute de fonds, est abandonnée. Le siège des *Hommes nouveaux* est 4, rue de Savoie.
10. Ricciotto Canudo (1879, Gioia del Colle, Italie – 10 novembre 1923, Paris), installé à Paris en 1902, joue un rôle actif au sein de l'avant-garde littéraire et artistique. Critique d'art, il dirige la rubrique de littérature italienne au *Mercure de France*. En 1911, il publie un essai : *La Naissance d'un sixième art. Essai sur le cinématographe*. En 1913, il fonde la revue « cérébriste » *Montjoie !* où Léger, Delaunay, Satie, Cendrars, Chagall, Salmon sont réunis.
11. Paul Husson est le premier mari de Jeanne Lohy qui le quitte en 1912 pour Léger, qu'elle épouse en 1919.
12. Herwarth Walden (1878-1941), de son vrai nom Georg Levin, dirige le journal *Der Sturm* et la galerie du même nom. Il expose les expressionnistes allemands et de nombreux artistes travaillant à Paris.
13. Voir Monica Bohm-Duchen, *Marc Chagall*, Londres, Phaidon, 1998, p. 98, et Franz Meyer, *Marc Chagall*, Flammarion, 1964, p. 154.
14. Selon Miriam Cendrars, c'est là que Léger rencontre Cendrars. Pourtant, ils se sont peut-être croisés auparavant à la Ruche. La chronologie des adresses de Léger et les imprécisions des souvenirs de Cendrars laissent place au doute. « […] Je n'ai pas connu Léger à la Ruche. C'est encore plus ancien. Chagall y est resté longtemps. Soutine y a habité et Modigliani. Des tas de gens. Mais avant tout des peintres », propos recueillis par Michel Manoll, cinquième entretien, enregistré en 1950, Radiodiffusion française, publié chez Denoël.
15. Poèmes publiés en 1919, Au Sans Pareil, Paris.
16. Miriam Cendrars, *Blaise Cendrars*, *op. cit.*, p. 245.
17. *Idem*, p. 248.
18. Franz Meyer, *Marc Chagall*, *op. cit.*, p. 206.
19. La conférence est publiée dans *Les Soirées de Paris* et dans *Der Sturm*, août 1913, n°s 172-173, avec en couverture une œuvre de Léger.
20. Y figurent *Dédié à ma fiancée*, *Golgotha*, *À la Russie, aux ânes et aux autres* de Chagall et *La Femme en bleu* de Léger.
21. Paris, Édition des Hommes nouveaux. *Erster Deutscher Herbsalon*, n°s 99 et 113 du catalogue – œuvres listées comme étant de Sonia Delaunay-Terk. Dans ce livre « simultané » – poème-objet de deux mètres, présenté sous la forme d'un dépliant –, le texte de Cendrars et les illustrations de Sonia Delaunay-Terk sont étroitement liés.
22. La revue *Les Soirées de Paris* est dirigée par Apollinaire et « Jean Cerusse » (pseudonyme commun de Serge Jastrebzoff et de la baronne d'Oettingen). Le poème dédié à Chagall est publié dans le n° 25 du 15 juin 1914, titré « La Pitié », et dans *Der Sturm*, n°s 198-199.
23. En hommage au peintre Odilon Redon.
24. Publiée dans *Les Soirées de Paris*, III, n° 25, p. 349-356.
25. *Les Soirées de Paris*, n° 25 du 15 juin 1914, p. 336, et lettre d'Apollinaire à Picasso du 14 juillet 1914, dans Caizergues et Seckel, *Picasso/Apollinaire, Correspondance*, Gallimard-RMN, 1992, p. 114-119.
26. Cet appel entraînera l'enrôlement de nombreux artistes étrangers résidant alors en France, qui acquerront ensuite automatiquement la nationalité française.
27. Lettre de Cendrars à Apollinaire (G. de Kostrovitsky), brigadier, bibliothèque littéraire Jacques Doucet, Paris [MS ; Ms 26033 alpha].
28. Laurence Madeline, *Correspondance Gertrude Stein, Pablo Picasso*, Gallimard, « Art et Artistes », 2005, p. 187.
29. Rijksmuseum Kröller-Müller, Otterlo, Pays-Bas.
30. Moïse Kisling (1891, Cracovie – 1953, Sanary-sur-Mer), peintre polonais de l'École de Paris, également blessé pendant la guerre. Avec une ironie désespérée, le poème met en parallèle les jeux cruels des enfants et la guerre.
31. Voir « Le Cubisme aux armées », *Mercure de France*, 16 mars 1916, p. 378-379.
32. Prénom choisi en hommage à Remy de Gourmont, son maître spirituel, décédé le jour même où Blaise a perdu sa main.
33. Eugenia Huici Arguedas, née en 1860 en Bolivie, épouse le peintre et diplomate chilien José Tomás Errázuriz. Elle échange une correspondance assidue avec Picasso, Cendrars et Stravinsky, servant de plaque tournante entre les trois. Alejandro Canseco-Jerez, *Lettres d'Eugenia Errázuriz à Pablo Picasso*, Centre d'étude de la traduction, université de Metz, série 2001, n° 1, et *Le Mécénat de Mme Errázuriz*, L'Harmattan, 2000.
34. Paris, La Belle Édition, rue des Saints-Pères. Avec cinq dessins de M. Angel Zarraga.
35. Joseph Palau i Fabre, *Picasso cubisme, 1907-1917*, Albin Michel, 1998.
36. Lettre d'Illa Rebay à son frère, citée par B. Harshav, *Marc Chagall and his Times*, Stanford University Press, 2004, p. 311.
37. N° 4, juillet 1918, p. 62.
38. Voir *Les Archives de Picasso. « On est ce que l'on garde ! »*, cat. exp., Paris, Musée national Picasso, RMN, 2007. Lettre de Cendrars à Picasso, le 30 avril 1918, p. 220.
39. Pablo Picasso, *Les Baigneuses*, 1918, huile sur toile, Paris, Musée national Picasso.
40. La citation d'Apollinaire appartient au poème « Calligrammes, les saisons » écrit en 1915. Cendrars, lors de ses séjours à « La Mimoseraie », peut observer cette décoration et des tableaux de Picasso acquis par Eugenia Errázuriz. Voir *Picasso, la villa Mimoseraie*, galerie Gmurzynska, Cologne, 1993.
41. Paris, La Belle Édition. Couverture spécialement dessinée en bleu avec pochoir orange et quatre dessins imprimés en rouge ou bleu. Une édition est publiée par Crès, Paris, en 1919, contenant un portrait de Cendrars par Léger en frontispice.
42. Poèmes lus par Mlle Raymone, *J'ai tué*, lu par l'auteur. Pierre-Albert Birot, « Sur le rideau des scènes derrière les tumultes », *L'Éveil*, n° 44, avril 1919.
43. Revue hebdomadaire parue de mai à juillet 1919.
44. « Modernités », 3 mai 1919, n° 2, 9 mai 1919, n° 3, 15 mai 1919, n° 5, 29 mai 1919, p. 77, Pablo Picasso, n° 10, 3 juillet 1919, Fernand Léger.
45. Miriam Cendrars, *Blaise Cendrars*, *op. cit.*, p. 61.
46. Dans une lettre à Jacques Doucet du 24 janvier 1917, Cendrars confie qu'il commence *La Fin du monde*, bibliothèque littéraire Jacques Doucet, Paris (7197-15). « La Pierre », 1er septembre 1917, dans *Les Manuscrits de « Moravagine »*, Denoël, vol. 2.
47. « J'aurais préféré autre chose que le cirque. C'est trop littéraire, Picasso, etc. Pourquoi ne pas aborder franchement un sujet, des objets plus neufs ! Des machines, des pistons, roues, mécanos, ou alors le prodigieux spectacle de la rue (dont nous avons tant causé) et intituler ton album *Paris* », dans une lettre du 14 mars 1920 de Cendrars à Léger citée par Claude Laugier, « Autour de *La ville* et de Blaise Cendrars : 1918-1919 », *Fernand Léger*, cat. exp., Centre Georges Pompidou, 1997.
48. Rudolph Kaemmerer Verlag, Dresde.
49. Le peintre américain Gerald Murphy (1888-1964) vit entre les États-Unis, Paris et Antibes. Léger le rejoint souvent à Antibes. Grâce à l'invitation de Gerald et Sara Murphy, Léger se rendra à New York en 1931.
50. John dos Passos se souvient du tour des cafés de Paris avec Blaise et sa chienne, et du déjeuner cuisiné par Jeanne Léger, dans John Dos Passos (1896-1970), *La Belle Vie*, Gallimard, « L'Imaginaire », 1986 p. 305.
51. Joseph Csaky (1888, Segred – 1971, Paris) est un peintre hongrois.
52. Marc Chagall, *Ma vie*, traduction du russe par Bella Chagall, préface d'André Salmon, Stock, 1931.
53. Robert Guiette (1895-1976), poète et écrivain belge, *Monsieur Cendrars n'est jamais là*, Michel Décaudin (éd.), Éditions du Limon, 1990.
54. Salle Bullier, vendredi 30 juin 1922, Fête de nuit à Montparnasse (bal costumé). Le bal Bullier, rouvert le 2 décembre 1921, est le lieu préféré des artistes pour organiser des bals costumés.
55. *Comœdia*, 16 décembre 1922, p. 16.
56. La lettre, que Chagall cite dans *Ma vie*, *op. cit.*, p. 246, est parfois faussement attribuée à Cendrars.
57. Transportées par la valise diplomatique grâce à l'ambassadeur de Russie en Lituanie.
58. Chagall apprend la gravure auprès de Hermann Struck.
59. Miriam Cendrars, *Blaise Cendrars*, *op. cit.*, p. 384. Paul Prado et Tarsila do Amaral collectionnent des œuvres de Léger et de Picasso.
60. Cinéaste américain sans lien avec Gerald et Sara Murphy.
61. Plaquette in-16° de 78 pages, Paris, Au Sans Pareil, dessins de Tarsila do Amaral.
62. Voir *Les Archives de Picasso*, *op. cit.*, p. 220.
63. Revue internationale d'esthétique fondée par l'architecte Le Corbusier, le peintre Amédée Ozenfant et le poète dada Paul Dermée, avec des collaborations de Cendrars.
64. Miriam Cendrars, *Blaise Cendrars*, *op. cit.*, p. 433.
65. Exposition Tarsila do Amaral, galerie Percier, 38, rue La Boétie, Paris, du 7 au 25 juin, catalogue avec *Feuille de route*, São Paulo, de Cendrars.
66. Voir dans *Aujourd'hui*, vol. 11 de la collection « Tout autour d'aujourd'hui », Denoël, 2006, p. 81.
67. Biot, Musée national Fernand Léger.
68. Cassandre (Adolphe-Jean-Marie Mouron, 1901-1968), graphiste et affichiste, auteur de la célèbre publicité Dubonnet.
69. Éditions des Quatre Chemins, Paris.
70. Tériade (Efstratios Eleftheriadès, 1897, Mytilène, Grèce – 1983, Paris), éditeur de revues, travaille avec Cendrars, Léger, Picasso et Chagall. *Fernand Léger* paraît aux éditions des Cahiers d'art, avec des extraits repris dans la revue *Montparnasse*, en avril et mai 1929.
71. Picasso cite Cendrars dans une interview radiophonique en 1961. Voir Marie-Laure Bernadac et Androula Michaël, *Picasso, propos sur l'art*, Gallimard, « Art et Artistes », 1998, p. 28-29.
72. Par exemple, *L'Intransigeant*, 10 juin 1929 et 28 décembre 1931.
73. Pierre Matisse, fils du peintre, devient le marchand de Chagall aux États-Unis.
74. Ce texte est édité en 1953, chez Buchet-Chastel. Il comporte des allusions aux œuvres de Chagall.
75. Édouard Trouin (1907-1977), géomètre, mystique et écrivain qui réussit la mobilisation autour de ce projet avorté.
76. Miriam Cendrars, *Blaise Cendrars*, *op. cit.*, p. 566 : Seghers invite Cendrars et Léger à la Closerie des lilas.
77. Georges Beauquier, *Fernand Léger. Vivre dans le vrai*, Maeght, 1987, p. 308.
78. Publié dans *Paris, ma ville*, Paris, Bibliothèque des arts, et Albert Mermoud, Lausanne, 1987.
79. Berggruen, Paris, 1956.
80. Monica Bohm-Duchen, *Marc Chagall*, *op. cit.*, p. 176.

Liste des œuvres et documents exposés au Musée national Fernand Léger, Biot

Les numéros de pages indiqués en fin de chaque notice renvoient aux œuvres et documents reproduits dans le catalogue.

Liste des œuvres

1 Fernand Léger
Les Toits de Paris

1912, huile sur toile, 90 x 64 cm
Paris, Centre Georges Pompidou, Musée national d'art moderne/ Centre de Création industrielle, acquis par dation, en dépôt au Musée national Fernand Léger, Biot (repr. p. 34)

2 Fernand Léger
Contraste de formes

1913, huile sur toile, 46 x 55 cm
Biot, Musée national Fernand Léger, donation Nadia Léger et Georges Bauquier

3 Fernand Léger
Jane et cubiste

1914, encre violette sur papier, 19,8 x 15 cm
Biot, Musée national Fernand Léger, donation Nadia Léger et Georges Bauquier (repr. p. 35)

4 Fernand Léger
Verdun, dessin du front

Vers 1915, crayon sur papier, 21,2 x 16,3 cm
Biot, Musée national Fernand Léger, donation Nadia Léger et Georges Bauquier (repr. p. 36)

5 Fernand Léger
Sans titre (Verdun, dessin du front)

Vers 1915, crayon sur papier, 19,4 x 16,4 cm
Biot, Musée national Fernand Léger, donation Nadia Léger et Georges Bauquier

6 Fernand Léger
La Cocarde, l'Avion brisé

Vers 1916, aquarelle et crayon sur papier, 23 x 29,1 cm
Biot, Musée national Fernand Léger, donation Nadia Léger et Georges Bauquier (repr. p. 38)

7 Fernand Léger
Sans titre (Le Poilu)

Vers 1917, plume, encre brune et lavis brun sur papier, 17,3 x 10 cm
Biot, Musée national Fernand Léger, donation Nadia Léger et Georges Bauquier (repr. p. 37)

8 Fernand Léger
Invention

1918, mine de plomb et aquarelle sur papier, 40,1 x 31,5 cm
Musée de Grenoble, achat en 1949 (repr. p. 41)

9 Fernand Léger
Le Poêle, étude pour le remorqueur

1918, huile sur carton, 55 x 46 cm
Lille-Métropole, Villeneuve-d'Ascq, musée d'Art moderne, donation Geneviève et Jean Masurel, 1979

10 Fernand Léger
L'Horloge

1918, huile sur toile, 50,7 x 61,5 cm
Riehen / Bâle, Suisse, Fondation Beyeler (repr. p. 42)

11 Fernand Léger
Le Cirque Médrano

1918, huile sur toile, 58 x 94,5 cm
Paris, Centre Georges Pompidou, Musée national d'art moderne/ Centre de Création industrielle, legs de la baronne Eva Gourgaud, 1965 (repr. p. 50)

12 Fernand Léger
Sans titre (Mouvement de charrue)

Vers 1918, gouache et encre de Chine sur papier, 32,8 x 44 cm
Biot, Musée national Fernand Léger, donation Nadia Léger et Georges Bauquier (repr. p. 40)

13 Fernand Léger
Les Hommes dans la ville

1919, huile sur toile, 65 x 54,3 cm
Collection particulière (repr. p. 49)

14 FERNAND LÉGER
LE DRAPEAU

1919, huile sur toile, 81,8 x 98 cm
Riehen (Bâle), Suisse, Fondation Beyeler (repr. p. 53)

15 FERNAND LÉGER
LA ROUE ROUGE

1920, huile sur toile, 65 x 54 cm
Paris, Centre Georges Pompidou, Musée national d'art moderne/
Centre de Création industrielle, donation Louise et Michel Leiris,
1984 (repr. p. 51)

16 FERNAND LÉGER
ESQUISSE POUR L'HOMME AU CHIEN

1920, huile sur toile, 65 x 46 cm
Lille-Métropole, Villeneuve-d'Ascq, musée d'Art moderne,
donation Geneviève et Jean Masurel, 1979 (repr. p. 48)

17 FERNAND LÉGER
ÉTUDE DE MASQUE POUR UN COSTUME DU BALLET
« LA CRÉATION DU MONDE »

Vers 1922, crayon sur papier, 27 x 21 cm
Biot, Musée national Fernand Léger, achat en 1998 (repr. p. 58)

18 FERNAND LÉGER
L'INHUMAINE

1923, gouache, encre et crayon sur papier, 25 x 32,2 cm
Biot, Musée national Fernand Léger, donation Georges Bauquier, 1995
(repr. p. 56)

19 FERNAND LÉGER
ÉTUDE DE COSTUME POUR « LA CRÉATION DU MONDE »

1924, gouache et crayon sur papier, 31,5 x 24 cm
Biot, Musée national Fernand Léger, achat en 1995 (repr. p. 57)

20 FERNAND LÉGER
ÉTUDE DE COSTUME POUR « LA CRÉATION DU MONDE »

1924, gouache et crayon sur papier, 33 x 27 cm
Biot, Musée national Fernand Léger, achat en 1995 (repr. p. 59)

21 FERNAND LÉGER
ÉTUDE DE COSTUME POUR « LA CRÉATION DU MONDE »

1924, gouache et crayon sur papier, 31,5 x 24 cm
Biot, Musée national Fernand Léger, achat en 1995 (repr. p. 60)

22 FERNAND LÉGER
ÉTUDE DE COSTUME POUR « LA CRÉATION DU MONDE »

1924, gouache et crayon sur papier, 32 x 24,5 cm
Biot, Musée national Fernand Léger, achat en 1995 (repr. p. 59)

23 FERNAND LÉGER
L'HOMME AU CHANDAIL

1924, huile sur toile, 65 x 92 cm
Collection particulière (repr. p. 55)

24 FERNAND LÉGER
LA FEMME AU BOUQUET

1924, huile sur toile, 81 x 65,5 cm
Lille-Métropole, Villeneuve-d'Ascq, musée d'Art moderne,
donation Geneviève et Jean Masurel, 1979

25 FERNAND LÉGER
PAYSAGE

1925, huile sur toile, 92 x 65 cm
Collection particulière, courtesy galerie Louis Carré & Cie (repr. p. 54)

26 FERNAND LÉGER
NATURE MORTE, A.B.C.

1927, huile sur toile, 65 x 92 cm
Biot, Musée national Fernand Léger, donation Daniel-Henry
Kahnweiler (repr. p. 61)

27 FERNAND LÉGER
PAYSAGE POLYCHROME

1937, huile sur toile, 88 x 73 cm
Saint-Denis, musée d'Art et d'Histoire

28 FERNAND LÉGER
UNE PLANTE ROUGE DEVANT LE CIEL BLEU

1939-1952, huile sur toile, 65 x 92 cm
Paris, galerie Louise Leiris

29 FERNAND LÉGER
UNE FIGURE DANS UN PAYSAGE

1949, huile sur toile, 65 x 54 cm
Musée de Lodève, dépôt privé permanent (repr. p. 63)

30 FERNAND LÉGER
PAYSAGE

Vers 1951, gouache et crayon sur papier, 32,2 x 23,6 cm
Biot, Musée national Fernand Léger, donation Nadia Léger et Georges
Bauquier (repr. p. 62)

31 FERNAND LÉGER (D'APRÈS)
LA RUCHE

Planche lithographique n° 1 de l'album *La Ville*, Mourlot frères, 1959,
exemplaire n° XV, hors commerce
Biot, Musée national Fernand Léger, donation Nadia Léger et Georges
Bauquier

32 FERNAND LÉGER (D'APRÈS)
LA RUE DANTZIG

Planche lithographique n° 2 de l'album *La Ville*, Mourlot frères, 1959, exemplaire n° XV, hors commerce
Biot, Musée national Fernand Léger, donation Nadia Léger et Georges Bauquier

33 FERNAND LÉGER (D'APRÈS)
MONTPARNASSE

Planche lithographique n° 14 de l'album *La Ville*, Mourlot frères, 1959, exemplaire n° XV, hors commerce
Biot, Musée national Fernand Léger, donation Nadia Léger et Georges Bauquier (repr. p. 64)

34 FERNAND LÉGER (D'APRÈS)
LES TOITS

Planche lithographique n° 16 de l'album *La Ville*, Mourlot frères, 1959, exemplaire n° XV, hors commerce
Biot, Musée national Fernand Léger, donation Nadia Léger et Georges Bauquier

35 FERNAND LÉGER (D'APRÈS)
LA TOUR EIFFEL

Planche lithographique n° 20 de l'album *La Ville*, Mourlot frères, 1959, exemplaire n° XV, hors commerce
Biot, Musée national Fernand Léger, donation Nadia Léger et Georges Bauquier

36 FERNAND LÉGER (D'APRÈS)
LE FRENCH CANCAN

Planche lithographique n° 28 de l'album *La Ville*, Mourlot frères, 1959, exemplaire n° XV, hors commerce
Biot, Musée national Fernand Léger, donation Nadia Léger et Georges Bauquier (repr. p. 65)

37 FERNAND LÉGER (D'APRÈS)
LE MOULIN-ROUGE

Planche lithographique n° 29 de l'album *La Ville*, Mourlot frères, 1959, exemplaire n° XV, hors commerce
Biot, Musée national Fernand Léger, donation Nadia Léger et Georges Bauquier

38 MARIE VASSILIEFF
LE BANQUET DE BRAQUE (LE 14 JANVIER 1917)

1929, technique mixte sur carton, 24 x 31 cm
Paris, collection Claude Bernès (repr. p. 8)

Liste des documents

39 BLAISE CENDRARS,
PERSPECTIVE

Feuillets d'un texte de 1911-1912 dédicacé en 1925 à Fernand Léger
Berne, Bibliothèque nationale suisse, Fonds Blaise Cendrars

40 LES SOIRÉES DE PARIS

Revue, n° 25, 15 juin 1914
Biot, Musée national Fernand Léger (repr. p. 170)

41 LES SOIRÉES DE PARIS

Revue, n° 26-27, 15 juillet-15 août 1914
Biot, Musée national Fernand Léger (repr. p. 170)

42 BLAISE CENDRARS,
LE PANAMA OU L'AVENTURE DE MES SEPT ONCLES

Éditions de la Sirène, Paris, 1918, exemplaire de chapelle, dédicacé à Fernand Léger
Collection particulière (repr. p. 171)

43 BLAISE CENDRARS
J'AI TUÉ

À la Belle Édition, Paris, chez François Bernouard, achevé d'imprimer du 8 novembre 1918
Paris, Centre Georges Pompidou, Musée national d'art moderne/ Centre de Création industrielle, Bibliothèque Kandinsky

44 BLAISE CENDRARS
J'AI TUÉ

Éditions Georges Crès et Cie, Paris, 1919, avec un portrait de Blaise Cendrars par Fernand Léger en frontispice
Biot, Musée national Fernand Léger

45 LA ROSE ROUGE

Revue, n° 4, Contes Nègres, 22 mai 1919
Berne, Bibliothèque nationale suisse, Fonds Blaise Cendrars

46 LA ROSE ROUGE

Revue, n° 7, 12 juin 1919, avec l'article de Cendrars « Un art nouveau : le cinéma »
Berne, Bibliothèque nationale suisse, Fonds Blaise Cendrars

47 LA ROSE ROUGE

Revue, n° 10, 3 juillet 1919, avec l'article de Cendrars « Modernités : Fernand Léger »
Berne, Bibliothèque nationale suisse, Fonds Blaise Cendrars

48 BLAISE CENDRARS ET FERNAND LÉGER
LA FIN DU MONDE FILMÉE PAR L'ANGE NOTRE-DAME

1919, projet de couverture, encre noire et crayon sur papier
Berne, Bibliothèque nationale suisse, Fonds Blaise Cendrars (repr. p. 43)

49 BLAISE CENDRARS
LA FIN DU MONDE FILMÉE PAR L'ANGE NOTRE-DAME

1919, page de titre, manuscrit, encre sur papier
Berne, Bibliothèque nationale suisse, Fonds Blaise Cendrars (repr. p. 44)

50 BLAISE CENDRARS
LA FIN DU MONDE FILMÉE PAR L'ANGE NOTRE-DAME

1919, page de titre, manuscrit, encre sur papier
Berne, Bibliothèque nationale suisse, Fonds Blaise Cendrars (repr. p. 45)

51 BLAISE CENDRARS ET FERNAND LÉGER
LA FIN DU MONDE FILMÉE PAR L'ANGE NOTRE-DAME

Éditions de la Sirène, Paris, 1919, tirés à part avec rehauts de gouache, corrections manuscrites de Fernand Léger au crayon sur imprimé, 25 x 33 cm
Biot, Musée national Fernand Léger, achat (repr. p. 17)

52 BLAISE CENDRARS
LA FIN DU MONDE FILMÉE PAR L'ANGE NOTRE-DAME

Éditions de la Sirène, Paris, 1919, illustrations de Fernand Léger, 32 x 25 cm
Biot, Musée national Fernand Léger, achat (repr. p. 45-46)

53 BLAISE CENDRARS
LA FIN DU MONDE FILMÉE PAR L'ANGE NOTRE-DAME

Éditions de la Sirène, Paris, 1919, illustrations de Fernand Léger, 32 x 25 cm
Collection particulière (repr. p. 47)

54 AVENANT AU CONTRAT DE BLAISE CENDRARS POUR L'ÉDITION DE LA FIN DU MONDE FILMÉE PAR L'ANGE NOTRE-DAME

Éditions de la Sirène, Paris, manuscrit signé par Paul Laffitte le 20 octobre 1918
Collection particulière

55 BLAISE CENDRARS
ANTHOLOGIE NÈGRE

Éditions de la Sirène, Paris, 1921, avec une dédicace de Blaise Cendrars à Fernand Léger
Collection particulière (repr. p. 172)

56 L'ESPRIT NOUVEAU

Revue, avril 1921, avec « L'Eubage » de Blaise Cendrars
Biot, Musée national Fernand Léger

57 BROOM

Revue n°3, janvier 1922
Couverture gravée de Fernand Léger Paris,
Centre Georges Pompidou, Musée national d'Art moderne/Centre de création industrielle, Bibliothèque Kandinsky

58 BROOM

Revue n°3, janvier 1922
Couverture gravée de Fernand Léger
Collection particulière (repr. p. 172)

59 BROOM

Revue n°4, juillet 1922
Couverture gravée de Fernand Léger
Paris, Centre Georges Pompidou, Musée national d'art moderne/ Centre de Création industrielle, Bibliothèque Kandinsky (repr. p. 172)

60 L'ŒUF DUR

Revue d'art, n° 14, automne 1923
Paris, Centre Georges Pompidou, Musée national d'art moderne/ Centre de Création industrielle, Bibliothèque Kandinsky

61 BLAISE CENDRARS,
À PROPOS DE LA ROUE D'ABEL GANCE

Manuscrits, feuillets datés du 17 février 1923
Berne, Bibliothèque nationale suisse, Fonds Blaise Cendrars

62 PROGRAMME DES BALLETS SUÉDOIS

Annoté et dédicacé par Blaise Cendrars
Paris, galerie Louise Leiris

63 PROGRAMME DES BALLETS SUÉDOIS

Couverture de Fernand Léger
Biot, Musée national Fernand Léger (repr. p. 32)

64 RECONSTITUTION DE LA MAQUETTE DU DÉCOR DE SCÈNE DU BALLET LA CRÉATION DU MONDE

Réalisée par Espace et Cie en 1995
Biot, Musée national Fernand Léger (repr. p. 31)

65 LA CRÉATION DU MONDE

1923, photographie de la scène et du premier décor
Berne, Bibliothèque nationale suisse, Fonds Blaise Cendrars

66 L'ÉQUIPE DE LA CRÉATION DU MONDE

1923, photographie de Erlanger de Rosen
Berne, Bibliothèque nationale suisse, Fonds Blaise Cendrars (repr. p. 31)

67 DISQUE VERT

Revue, n° 4-5, 1924, Paris-Bruxelles, avec l'article « Charlot »
de Blaise Cendrars illustré de dessins de Fernand Léger, André Lhote
et Frans Maserel
Biot, Musée national Fernand Léger

68 FERNAND LÉGER
CHARLOT, S. D.

Affiche lithographique
Collection particulière

69 MONTJOIE !

Programme du festival « Montjoie » de Canudo, 7 décembre 1917
Berne, Bibliothèque nationale suisse, Fonds Blaise Cendrars

70 ABC DU CINÉMA

Paris, 1926, avec corrections autographes
Berne, Bibliothèque nationale suisse, Fonds Blaise Cendrars

71 CATALOGUE DE L'EXPOSITION TARSILA DO AMARAL

À la galerie Percier, Paris, du 7 au 25 juin 1926
Poèmes de Blaise Cendrars
Biot, Musée national Fernand Léger (repr. p. 174)

72 BLAISE CENDRARS
PUBLICITÉ

Feuillets dactylographiés avec ajouts autographes, 1927
Berne, Bibliothèque nationale suisse, Fonds Blaise Cendrars

73 BLAISE CENDRARS,
PETITS CONTES NÈGRES POUR LES ENFANTS DES BLANCS

Au Sans Pareil, Paris, 1928
Collection particulière

74 LE CORBUSIER, FERNAND LÉGER, YVONNE GALLIS
ET BLAISE CENDRARS AU TREMBAY-SUR-MAULDRE

1931, photographie
Berne, Bibliothèque nationale suisse, Fonds Blaise Cendrars (repr. p. 174)

75 ORBES

Revue dirigée par J.-H. Lévesque, 2e série, n° 1, 1933
Biot, Musée national Fernand Léger

76 BLAISE CENDRARS,
L'HOMME FOUDROYÉ

Éditions Denoël, Paris, 1945
Collection particulière

77 LES CONSTRUCTEURS

1951, Éditions Falaize
Biot, Musée national Fernand Léger

78 SALUT BLAISE CENDRARS

Numéro spécial de *Risques*, 1954
Jaquette exécutée d'après un projet d'affiche, « Zenith 1913 »,
de Sonia Delaunay-Terk
Biot, Musée national Fernand Léger (repr. p. 176)

79 ENTRETIEN DE FERNAND LÉGER AVEC BLAISE CENDRARS
ET LOUIS CARRÉ SUR LE PAYSAGE DANS L'ŒUVRE DE LÉGER

Catalogue de l'exposition à la galerie Louis Carré, Paris, 1956
Biot, Musée national Fernand Léger (repr. p. 21)

80 LE BRÉSIL, ESCALES DU MONDE

Les Documents d'art, Monaco, 1952
Photographies de Jean Manzon
Collection particulière

81 FERNAND LÉGER, DESSINS DE GUERRE, 1915-1916

Album dédié à Jeanne Léger par Douglas Cooper
Blaise Cendrars, *La Grande Copine*, Berggruen & Cie , 1956
Biot, Musée national Fernand Léger

82 BLAISE CENDRARS
J'AI VU MOURIR FERNAND LÉGER

1957, tapuscrit *Paris ma ville* rectifié annoté et corrigé
Berne, Bibliothèque nationale suisse, Fonds Blaise Cendrars (repr. p. 22)

Liste des œuvres et documents exposés au Musée national Marc Chagall, Nice

Les numéros de pages indiqués en fin de chaque notice renvoient aux œuvres et documents reproduits dans le catalogue.

Liste des œuvres

83 Marc Chagall
Carnet de poésies, manuscrit

1908-1912, encre et crayon sur papier, 21,5 x 17,5 cm
Collection Iveta et Tanaz Manasherov, courtesy Jacques Ranc

84 Marc Chagall
L'Atelier

1910, huile sur toile, 60,4 x 73 cm
Paris, Centre Georges Pompidou, Musée national d'art moderne/ Centre de Création industrielle, en dépôt au Musée national Marc Chagall, Nice (repr. p. 86)

85 Marc Chagall
Le Départ de l'avion

1911, daté ultérieurement 1910 par l'artiste, encre bleu turquoise sur papier, 33,6 x 25,5 cm
Collection particulière (repr. p. 90)

86 Marc Chagall
Le Rabbin à la poule

1910-1911, encre de Chine et aquarelle sur papier, 12,8 x 9 cm
Collection particulière (repr. ci-contre)

87 Marc Chagall
Hôtel de la Poste

1911, daté ultérieurement 1910 par l'artiste, encre bleu turquoise sur papier, 32,8 x 26 cm
Collection particulière (repr. p. 90)

88 Marc Chagall
Carnet de dessins

Vers 1910, encre, crayon et fusain sur papier, 14 x 9 cm
Collection Iveta et Tanaz Manasherov, courtesy Jacques Ranc

89 Marc Chagall
Au théâtre

1911, daté ultérieurement 1910 par l'artiste, encre bleu turquoise sur papier, 21,3 x 27 cm
Collection particulière (repr. p. 89)

Marc Chagall
Le Rabbin à la poule, 1910-1911
Encre de Chine et aquarelle sur papier, 12,8 x 9 cm
Collection particulière (cat. 86)

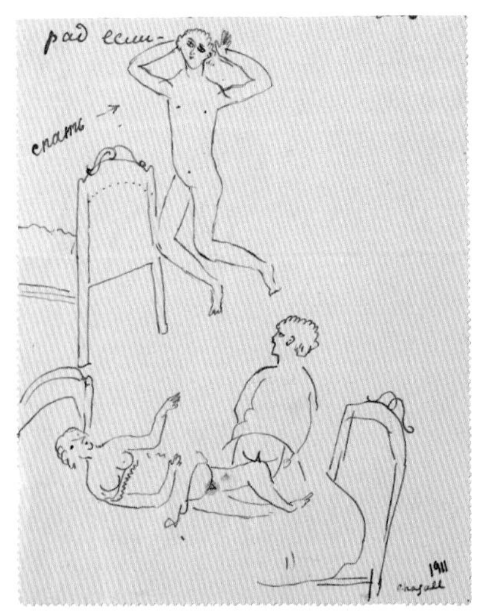

Marc Chagall *Scène nocturne*, 1911, encre sépia sur papier, 13,5 x 10,6 cm, collection particulière (cat. 96)

Marc Chagall *Nu cambré*, 1911, encre bleue sur papier, 31,1 x 25,2 cm, collection particulière (cat. 99)

Marc Chagall *Le Modèle d'homme*, 1911, encre bleue sur papier, 31,2 x 22 cm, collection particulière (cat. 101)

90 MARC CHAGALL
CIRQUE

1911, daté ultérieurement 1910 par l'artiste, encre bleu turquoise sur papier, 33,6 x 26,9 cm
Collection particulière (repr. p. 90)

91 MARC CHAGALL
POUR APOLLINAIRE

1911, crayon sur papier, 33,6 x 26,1 cm
Paris, Centre Georges Pompidou, Musée national d'art moderne/ Centre de Création industrielle (repr. p. 95)

92 MARC CHAGALL
CONVERSATION AU CAFÉ. LE BISTROT FRANÇAIS

1911, encre brune sur papier, 13,2 x 20,4 cm
Collection particulière (repr. p. 91)

93 MARC CHAGALL
LA CUISINE

1911, gouache sur papier, 13,3 x 21 cm
Collection particulière (repr. p. 88)

94 MARC CHAGALL
NOTRE VACHE

1911, encres bleue, brune et rouge, crayons de couleur et aquarelle sur papier, 20,5 x 13,3 cm
Collection particulière (repr. p. 88)

95 MARC CHAGALL
GROUPE DE PAYSANS

1911, encres bleue, brune et rouge, crayons de couleur, aquarelle bleu mauve,
13,2 x 20,6 cm
Collection particulière (repr. p. 88)

96 MARC CHAGALL
SCÈNE NOCTURNE

1911, encre sépia sur papier, 13,5 x 10,6 cm
Collection particulière (repr. ci-contre)

97 MARC CHAGALL
AUTOPORTRAIT

1911, encre bleue sur papier, 33,9 x 26,2 cm
Collection particulière (repr. p. 87)

98 MARC CHAGALL
AUTOPORTRAIT

1911, encre bleue sur papier, 26 x 20 cm
Collection particulière (repr. p. 87)

99 MARC CHAGALL
NU CAMBRÉ

1911, encre bleue sur papier, 31,1 x 25,2 cm
Collection particulière (repr. ci-contre)

100 MARC CHAGALL
NU DANS LE JARDIN

1911, huile sur toile, 33 x 40,5 cm
Collection particulière (repr. p. 94)

101 MARC CHAGALL
LE MODÈLE D'HOMME

1911, encre bleue sur papier, 31,2 x 22 cm
Collection particulière (repr. ci-contre)

102 MARC CHAGALL
ÉTUDE POUR ADAM ET ÈVE OU HOMMAGE À APOLLINAIRE

1911-1912, crayon et gouache sur papier, 31,7 x 26,1 cm
Paris, Centre Georges Pompidou, Musée national d'art moderne/ Centre de Création industrielle (repr. p. 93)

103 Marc Chagall
Étude pour Adam et Ève ou Hommage à Apollinaire

1911-1912, crayon sur papier, 16,1 x 19,6 cm
Paris, Centre Georges Pompidou, Musée national d'art moderne/
Centre de Création industrielle (repr. p. 93)

104 Marc Chagall
Étude pour Adam et Ève ou Hommage à Apollinaire

1911-1912, crayon sur papier, 33,7 x 26,1 cm
Paris, Centre Georges Pompidou, Musée national d'art moderne/
Centre de Création industrielle (repr. p. 93)

105 Marc Chagall
Étude pour l'Autoportrait aux sept doigts

1911-1912, crayon sur papier, 19,2 x 17 cm
Collection Iveta et Tanaz Manasherov, courtesy Jacques Ranc

106 Marc Chagall
Chez le photographe

1911-1912, encre sur papier, 10,5 x 14,1 cm
Collection particulière (repr. p. 89)

107 Marc Chagall
Malpel, le marchand de cadres, et sa femme

1912, gouache, aquarelle, encre et lavis sur papier, 21,1 x 27,4 cm
Paris, Centre Georges Pompidou, Musée national d'art moderne/
Centre de Création industrielle (repr. p. 96)

108 Marc Chagall
Esquisse pour Paris par la fenêtre

1913, aquarelle et gouache sur papier, 30 x 27 cm
Collection particulière (repr. p. 92)

109 Marc Chagall
Portrait d'Apollinaire

1913-1914, encre violette et aquarelle sur papier, 27,8 x 21,7 cm
Paris, Centre Georges Pompidou, Musée national d'art moderne/
Centre de Création industrielle (repr. p. 95)

110 Marc Chagall
Guerre, dit Le Marchand de journaux

1914, crayon sur papier d'emballage gris, 45 x 35,5 cm
Paris, Centre Georges Pompidou, Musée national d'art moderne/
Centre de Création industrielle (repr. p. 99)

111 Marc Chagall
Le Rabbin et le Soldat en prière

1914, crayon sur papier, 22,9 x 18,4 cm
Collection particulière (repr. p. 99)

112 Marc Chagall
La Fusillade

1914, crayon et encre de Chine sur papier, 23,2 x 18,5 cm
Collection particulière (repr. p. 99)

113 Marc Chagall
Intérieur à la sainte

1914, crayon sur papier, 12,8 x 21,4 cm
Collection particulière (repr. p. 100)

114 Marc Chagall
En pensant à Picasso

1914, encre sur papier quadrillé, 19,1 x 21,6 cm
Paris, Centre Georges Pompidou, Musée national d'art moderne/
Centre de Création industrielle (repr. p. 96)

115 Marc Chagall
Le Salut

1914, huile sur carton marouflé sur toile, 37,8 x 49,8 cm
Paris, Centre Georges Pompidou, Musée national d'art moderne/
Centre de Création industrielle (repr. p. 98)

Marc Chagall *Les Amoureux*, 1914, encre de Chine sur papier, 23,2 x 18 cm, collection particulière (cat. 119)

Marc Chagall, *Les Parents*, 1915, encre brune sur papier bleu, 6,1 (à gauche), 7,2 (à droite) x 6,2 (en haut), 7 (en bas) cm, collection particulière (cat. 120)

116 MARC CHAGALL
LE DÉPART POUR LA GUERRE

1914, crayon et encre de Chine sur papier, 21,1 x 17,7 cm
Collection particulière (repr. p. 99)

117 MARC CHAGALL
LES CHÈVRES DEVANT LA PALISSADE

1914, crayon et encre de Chine sur papier, 12,7 x 17,4 cm
Collection particulière (repr. p. 100)

118 MARC CHAGALL
AUTOPORTRAIT DEVANT LA MAISON

1914, huile sur carton marouflé sur toile, 49,5 x 37,5 cm
Collection particulière (repr. p. 97)

119 MARC CHAGALL
LES AMOUREUX

1914, encre de Chine sur papier, 23,2 x 18 cm
Collection particulière (repr. ci-contre)

120 MARC CHAGALL
LES PARENTS

1915, encre brune sur papier bleu, 6,1 (à gauche), 7,2 (à droite) x 6,2 (en haut) 7 (en bas) cm
Collection particulière (repr. ci-contre)

121 MARC CHAGALL
BELLA À TABLE

1916, gouache, crayon, encre de Chine, crayons de couleur et fusain sur papier, 23,1 x 21,8 cm
Collection particulière (repr. p. 101)

122 MARC CHAGALL
AUTOPORTRAIT

1917, encre de Chine et lavis d'encre de Chine sur papier, 18,5 x 14,5 cm
Collection particulière (repr. p. 105)

123 MARC CHAGALL
AUTOPORTRAIT À LA GRIMACE

1917, crayon sur papier avec mise au carreau, 37,5 x 27,9 cm
Paris, Centre Georges Pompidou, Musée national d'art moderne/ Centre de Création industrielle (repr. p. 105)

124 MARC CHAGALL
PORTRAIT CONSTRUCTIVISTE

Vers 1918, crayon sur papier reliure, 23,3 x 14,3 cm
Collection particulière (repr. p. 102)

125 MARC CHAGALL
MAQUETTE ORIGINALE POUR L'ART DE MARC CHAGALL

D'A. Efross et J. Tugendhold, vers 1918
Encre sur papier brun, 35,6 x 25,2 cm
Collection particulière (repr. p. 102)

126 MARC CHAGALL
L'HOMME À LA TÊTE RENVERSÉE

1919, huile sur carton (deux papiers) marouflé sur bois, 54 x 47 cm
Collection particulière (repr. p. 107)

127 MARC CHAGALL
LE PÈRE

1921, huile sur carton, 67 x 50,5 cm
Collection particulière (repr. p. 104)

128 MARC CHAGALL
BELLA EN MANTEAU (FORÊT-NOIRE)

1922, crayon sur papier, 30 x 23,3 cm
Collection particulière (repr. p. 106)

129 Marc Chagall
Ida (Forêt-Noire)

1922, crayon sur papier, 24,4 x 16,4 cm
Collection particulière (repr. p. 106)

130 Marc Chagall
Portrait d'Ida à l'ourson (Forêt-Noire)

1922, crayon sur papier, 29,9 x 23,1 cm
Collection particulière (repr. p. 106)

131 Marc Chagall
Autoportrait

1922, crayon, aquarelle et encre sur papier vergé,
26,7 x 21,3 cm
Collection particulière (repr. p. 105)

132 Marc Chagall
Autoportrait

Vers 1922, encre de Chine et lavis sur carton, 13,8 x 9,9 cm
Collection particulière (repr. p. 105)

133 Marc Chagall
Ma vie 1. À mes parents

Vers 1922, encre sur papier, 25 x 20 cm
Collection particulière (repr. p. 110)

134 Marc Chagall
Ma vie 2. La ville était en feu

Vers 1922, encre sur papier, 25 x 20 cm
Collection particulière (repr. p. 110)

135 Marc Chagall
Ma vie 3. Voici Max Jacob

Vers 1922, encre sur papier, 25 x 20 cm
Collection particulière (repr. p. 110)

136 Marc Chagall
Le jardin

Transcrit vers 1922, encre sur papier, 27 x 21 cm
Collection particulière (repr. p. 110)

137 Marc Chagall
L'Homme enivré

1922-1923, encre de Chine et crayon sur papier, 6,6 x 9,1 cm
Collection particulière (repr. ci-contre)

138 Marc Chagall
En route avec luge et traîneau

1922-1923, encre de Chine sur papier avec mise au carreau,
6 x 11,4 cm
Collection particulière (repr. ci-contre)

139 Marc Chagall
Le Cirque

1922-1944, huile sur toile, 37,3 x 57,7 cm
Paris, Centre Georges Pompidou, Musée national d'art moderne/
Centre de Création industrielle, en dépôt
au musée d'Art moderne de Strasbourg (repr. p. 112)

140 Marc Chagall
Les Arlequins

1922-1944, huile sur toile, 56,5 x 86,8 cm
Paris, Centre Georges Pompidou, Musée national d'art moderne/
Centre de Création industrielle, en dépôt
au Musée national Marc Chagall, Nice (repr. p. 112)

141 Marc Chagall
Le Marchand de bestiaux

1923, huile sur toile, 99,5 x 180 cm
Paris, Centre Georges Pompidou, Musée national d'art moderne/
Centre de Création industrielle, en dépôt
au musée de Grenoble (repr. p. 111)

Marc Chagall, *L'Homme enivré*, 1922-1923, encre de Chine et crayon sur papier, 6,6 x 9,1 cm, collection particulière (cat. 137)

Marc Chagall, *En route avec luge et traineau*, 1922-1923
Encre de Chine sur papier avec mise au carreau, 6 x 11,4 cm
Collection particulière (cat. 138)

Marc Chagall, couverture de la revue *Khaliastra*, 1924
Dessin, 26,7 x 19,5 cm, Paris, Centre Georges Pompidou, Musée national d'Art moderne/Centre de création industrielle (cat. 143)

Marc Chagall, *Le Visage vert*, 1925, gouache, crayon et crayons de couleur sur papier, 35,2 x 27,3 cm
Collection particulière (cat. 148)

Marc Chagall, *Autoportrait au nu*, vers 1925
Encre brune sur papier vergé, 26,9 x 21,2 cm
Collection particulière (cat. 149)

142 MARC CHAGALL
LE COCHER

1924, encre, crayons de couleur et gouache sur papier, 22,2 x 23,1 cm
Collection particulière (repr. p. 113)

143 MARC CHAGALL
COUVERTURE DE LA REVUE KHALIASTRA

1924, dessin, 26,7 x 19,5 cm
Paris, Centre Georges Pompidou, Musée national d'art moderne/ Centre de Création industrielle (repr. ci-contre)

144 MARC CHAGALL
BELLA À L'ŒILLET

1925, huile sur toile, 100 x 80 cm
Collection particulière (repr. p. 117)

145 MARC CHAGALL
CHARLIE CHAPLIN

1925, lavis d'encre bleue et encre de Chine sur papier, 26 x 19,7 cm
Collection particulière (repr. p. 109)

146 MARC CHAGALL
L'HOMME-COQ AU-DESSUS DE VITEBSK

1925, huile sur carton, 49 x 64,5 cm
Collection particulière (repr. p. 108)

147 MARC CHAGALL
PORTRAIT D'IDA

1925, crayon sur papier, 25,2 x 21 cm
Collection particulière (repr. p. 106)

148 MARC CHAGALL
LE VISAGE VERT

1925, gouache, crayon et crayons de couleur sur papier, 35,2 x 27,3 cm
Collection particulière (repr. ci-contre)

149 MARC CHAGALL
AUTOPORTRAIT AU NU

Vers 1925, encre brune sur papier vergé, 26,9 x 21,2 cm
Collection particulière (repr. ci-contre)

150 MARC CHAGALL
LE PEINTRE ET SON MONDE

Vers 1925, encre de Chine sur papier bleu, 18,6 x 21 cm
Collection particulière (repr. p. 114)

151 MARC CHAGALL
LE REFLET DE LA VACHE AUX LIVRES

Vers 1925, crayon sur papier, 10,4 x 14 cm
Collection particulière (repr. p. 191)

152 MARC CHAGALL
L'HOMME AU PARAPLUIE ET AU PANTALON RAYÉ

Vers 1925, lavis d'encre sépia sur papier Arches, 35,3 x 26,6 cm
Collection particulière (repr. p. 115)

153 MARC CHAGALL
PORTRAIT

Vers 1925, encre sur papier, 12,8 x 11,9 cm
Collection particulière (repr. p. 191)

154 MARC CHAGALL
GROUPE DE PERSONNAGES OU CONVERSATION INTIME

Vers 1925, encre rouge sur papier, 24 x 30,6 cm
Collection particulière (repr. p. 114)

155 Marc Chagall
Nu à la grimace

1925, encre de Chine sur papier, 26,8 x 16,6 cm
Collection particulière (repr. ci-contre)

156 Marc Chagall
Scène d'amour à la chaise

1920-1925, lavis d'encre bleue et encre de Chine sur papier, 23,5 x 21 cm
Collection particulière (repr. p. 108)

157 Marc Chagall
La Famille sur la chaise à Paris

Vers 1925, encre bleue sur papier, 32,3 x 25,4 cm
Collection particulière (repr. p. 103)

158 Marc Chagall
Vision du nu

Vers 1925, encre de Chine et aquarelle sur papier, 25,6 x 20,9 cm
Collection particulière (repr. p. 113)

159 Marc Chagall
Femme barbue à l'éventail (pour Coquiot)

Vers 1925, encre brune sur papier, 24,9 x 19,2 cm
Collection particulière (repr. p. 116)

160 Marc Chagall
Modèle aux esquisses

Vers 1925, encre sur papier, 20,8 x 25,6 cm
Collection particulière (repr. p. 114)

161 Marc Chagall
Cinq gravures pour Maternité,

de Marcel Arland, Paris, Au Sans Pareil
1925-1926, eaux-fortes sur papier, cuvette : 13,6 x 10 cm, feuille : 28,2 x 18,2 cm
Collection particulière (repr. p. 119)

162 Marc Chagall
Seize gravures pour Les Sept Péchés capitaux

Textes de Jean Giraudoux, Paul Morand, Pierre MacOrlan, André Salmon, Max Jacob, Jacques de Lacretelle et Joseph Kessel, Paris, Simon Kra éditeur, 1926
Gravures, tirages en sanguine sur papier Japon et tirage noir et blanc sur papier, cuvette : 16,5 x 10,7 cm, feuille : 24,8 x 18,8 cm
Collection particulière (repr. p. 120)

163 Marc Chagall
Fumeur au nez pointu

1926, encre brune et lavis sur papier, 16,5 x 13 cm
Collection particulière (repr. p. 116)

164 Marc Chagall
Bacchanales

Encre sur papier, 13,7 x 26,2 cm
Collection particulière (repr. ci-contre)

165 Marc Chagall
Écuyer au parapluie

1926-1927, encre bleue sur papier, 20,7 x 13,5 cm
Collection particulière (repr. p. 192)

166 Marc Chagall
La Maison à l'œil vert

1926-1944
Huile sur toile, 58 x 51 cm
Collection particulière (repr. p. 118)

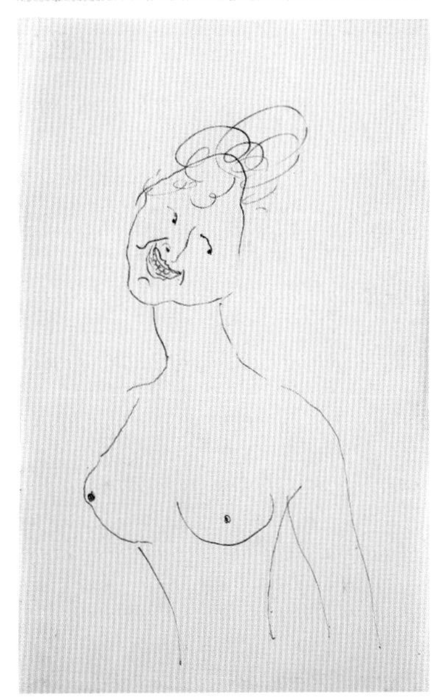

Marc Chagall, *Portrait*, vers 1925, encre sur papier, 12,8 x 11,9 cm, collection particulière (cat. 153)

Marc Chagall, *Le Reflet de la vache aux livres*, vers 1925, crayon sur papier, 10,4 x 14 cm, collection particulière (cat. 151)

Marc Chagall *Nu à la grimace*, 1920, encre de Chine sur papier, 26,8 x 16,6 cm, collection particulière (cat. 155)

Marc Chagall, *Bacchanales*, encre sur papier, 13,7 x 26,2 cm, collection particulière (cat. 164)

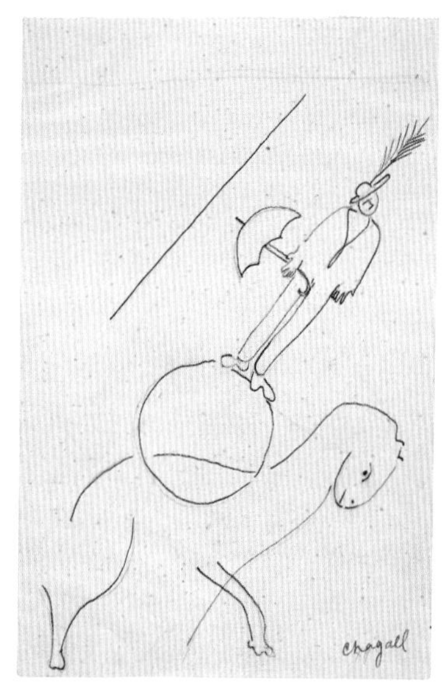

Marc Chagall, *Écuyer au parapluie*, 1926-1927
Encre bleue sur papier, 20,7 x 13,5 cm, collection particulière (cat. 165)

Marc Chagall, *Profil à la bicyclette*, vers 1927-1928
Encre sur papier vergé avec mise au carreau, 20,9 x 13,6 cm
Collection particulière (cat. 167)

Marc Chagall, *La Lecture d'Ida devant la tour Eiffel*, vers 1930
Encre bleue sur carton, 24,2 x 21,2 cm, collection particulière (cat. 168)

167 Marc Chagall
Profil à la bicyclette

Vers 1927-1928, encre sur papier vergé avec mise au carreau, 20,9 x 13,6 cm
Collection particulière (repr. ci-contre)

168 Marc Chagall
La Lecture d'Ida devant la tour Eiffel

Vers 1930, encre bleue sur carton, 24,2 x 21,2 cm
Collection particulière (repr. ci-contre)

169 Marc Chagall
Nu au-dessus de Vitebsk

1933, huile sur toile, 87 x 113 cm
Collection particulière (repr. p. 121)

170 Marc Chagall
La Laiterie

1933, gouache sur esquisse au crayon sur papier vélin, 34,5 x 64,1 cm
Paris, Centre Georges Pompidou, Musée national d'art moderne/
Centre de Création industrielle (repr. p. 118)

171 Marc Chagall
Esquisse pour La Révolution

1937, huile sur toile, 49,7 x 100,2 cm
Paris, Centre Georges Pompidou, Musée national d'art moderne/
Centre de Création industrielle (repr. p. 123)

172 Marc Chagall
Esquisse pour La Révolution, dessin préparatoire

1937, encre, crayon, estompe sur papier vergé filigrané, 27,7 x 42,2 cm
Paris, Centre Georges Pompidou, Musée national d'art moderne/
Centre de Création industrielle (repr. p. 122)

173 Sonia Delaunay
La Prose du Transsibérien et de la petite Jehanne de France

1913, livre-dépliant, en collaboration avec Blaise Cendrars, aquarelle, texte imprimé sur papier, reliure parchemin peint,
fermé : 18 x 11 cm
Paris, Centre Georges Pompidou, Musée national d'art moderne/
Centre de Création industrielle

174 Sonia Delaunay
La Prose du Transsibérien et de la petite Jehanne de France

1913, prospectus, aquarelle sur papier, 9,6 x 34,2 cm
Paris, Centre Georges Pompidou, Musée national d'art moderne/
Centre de Création industrielle

Liste des documents

175 Marc Chagall et Bella Rosenfeld

Vitebsk, 1911, photographie
© Archives Marc et Ida Chagall, Paris (repr. p. 168)

176 Marc Chagall devant la fontaine de l'Observatoire

Paris, juin 1911, photographie
© Archives Marc et Ida Chagall, Paris (repr. p. 68)

177 Marc Chagall et son frère

Photographie donnée par Chagall à Cendrars
Berne, Bibliothèque nationale suisse, Fonds Blaise Cendrars

178 Lettre du 27 mai 1913

Cendrars à Chagall, à la Ruche, à propos d'un concert
© Archives Marc et Ida Chagall, Paris (repr. p. 82)

179 Lettre du 28 juillet 1913

Cendrars à Chagall, à la Ruche, à propos de Walden
© Archives Marc et Ida Chagall, Paris (repr. p. 82)

180 Lettre du 23 août 1913

Cendrars à Chagall, à la Ruche, à propos de Walden
© Archives Marc et Ida Chagall, Paris (repr. p. 82)

181 Carte postale du 31 octobre 1913

Cendrars à Chagall, à la Ruche, avec reproduction de *La Tour Eiffel* de Delaunay et un poème d'Apollinaire, de la main de Féla
© Archives Marc et Ida Chagall, Paris (repr. p. 83)

182 Carte postale du 9 décembre 1913

Cendrars à Chagall, à la Ruche, avec Onésime, artiste à Montmartre
© Archives Marc et Ida Chagall, Paris (repr. ci-contre)

183 État autographe des poèmes sur Chagall

intégrés ensuite dans les *Dix-neuf poèmes élastiques* de Blaise Cendrars : trois feuillets à l'encre violette, trois versions du poème « Marc Chagall »
Berne, Bibliothèque nationale suisse, Fonds Blaise Cendrars

184 Lettre de 1913-1914

Cendrars à Chagall, avec un mot de Féla
© Archives Marc et Ida Chagall, Paris (repr. p. 194)

185 Lettre non datée [1913-1914]

Cendrars à Chagall, avec mention « Apportez-moi des couleurs »
© Archives Marc et Ida Chagall, Paris (repr. p. 76)

186 Lettre de 1914

Avec mention du contrat avec Malpel (signé le 30 avril 1914)
© Archives Marc et Ida Chagall, Paris (repr. p. 84)

187 Carte postale du 3 mai 1914

Cendrars à Chagall, à la Ruche, avec allusion à Robert Delaunay
© Archives Marc et Ida Chagall, Paris (repr. p. 194)

188 Extrait de la revue La Rose rouge collé sur une feuille

Berne, Bibliothèque nationale suisse, Fonds Blaise Cendrars

189 Blaise Cendrars
Russie – Sainte Russie ? L'imagerie russe pendant la guerre

Avec annotations de la main de Féla, 4 feuillets
Berne, Bibliothèque nationale suisse, Fonds Blaise Cendrars

190 Blaise Cendrars
Dix-neuf poèmes élastiques

Au Sans Pareil, 1919, exemplaire n° 40, avec un portrait de l'auteur par Modigliani et un second en hors-texte
Berne, Bibliothèque nationale suisse, Fonds Blaise Cendrars

191 Philippe Soupault
La Rose des vents

Au Sans Pareil, 1920
Paris, Centre Georges Pompidou, Musée national d'art moderne/ Centre de Création industrielle, Bibliothèque Kandinsky

192 Abraham Efross et Jakob Tugendhold,
Die Kunst Marc Chagalls

Gustav Kiepenheuer Verlag, Postdam, 1921
Nice, Musée national Marc Chagall

193 Carte postale, signée de Cendrars et de Chagall

À son retour à Paris en 1923, avec un texte de chacun d'entre eux, à l'intention de Féla Cendrars, qui résidait alors en Italie
Collection Miriam Cendrars

Pneumatique –
Monsieur
Marc Chagall
2, Passage de Dantzig
Paris
(La Ruche).
P.C.V. 020

HOTEL CONTINENTAL
LE HAVRE

RÉPUBLIQUE FRANÇAISE
CARTE POSTALE
ERSTER DEUTSCHER HERBSTSALON
20. SEPT.-1. NOV. 1913
BERLIN
POTSDAMERSTR. 75
DER STURM
M. Chagall
2 passage Dantzig
Paris.
La Ruche

Enveloppe recto/verso de la lettre du 27 mai 1913,
Cendrars à Chagall, à la Ruche, à propos d'un concert
© Archives Marc et Ida Chagall, Paris (cat. 178)

Recto de l'enveloppe de la lettre du 28 juillet 1913,
Cendrars à Chagall, à la Ruche, à propos de Herwarth Walden
© Archives Marc et Ida Chagall, Paris (cat. 179)

Carte postale du 9 décembre 1913
avec Onésime à Montmartre, Cendrars à Chagall, à la Ruche
© Archives Marc et Ida Chagall, Paris (cat. 182)

RÉPUBLIQUE FRANÇAISE
CARTE POSTALE
Ce côté est exclusivement réservé à l'adresse.

Monsieur Chagall
En Ville
2 passage Danzig
(La Ruche)

Cher Chagall, Je ne puis pas venir demain, dimanche matin. J'ai une conférence. – Venez demain à cinq heures chez Delaunay. J'y serai. Je vous attends.
Tout à vous
Blaise Cendrars

Lettre de 1913-1914, Cendrars à Chagall, avec un mot de Féla
© Archives Marc et Ida Chagall (cat. 184)

Carte postale du 3 mai 1914, de Cendrars à Chagall, à la Ruche, avec allusion à Robert Delaunay
© Archives Marc et Ida Chagall (cat. 187)

194 MARC, BELLA ET IDA CHAGALL À BERLIN EN CALÈCHE

1923, photographie
Archives Marc et Ida Chagall (repr. p. 195)

195 MARC, BELLA ET IDA CHAGALL À BERLIN DANS UN JARDIN

1923, photographie
© Archives Marc et Ida Chagall, Paris (repr. p. 173)

196 LES CHAGALL,
AVENUE D'ORLÉANS À PARIS, DANS LEUR SALON

1923, photographie
© Archives Marc et Ida Chagall, Paris

197 AMBROISE VOLLARD, LES CHAGALL, ANDRÉ DERAIN

Vers 1924, photographie
© Archives Marc et Ida Chagall, Paris (repr. p. 175)

198 BELLA POSANT POUR LE DOUBLE PORTRAIT, PARIS

1925, photographie
© Archives Marc et Ida Chagall, Paris (repr. p. 173)

199 MARC, BELLA ET IDA CHAGALL, IVAN ET CLAIRE GOLL

Bois-de-Cise (Normandie) 1924, photographie
© Archives Marc et Ida Chagall, Paris (repr. p. 174)

200 MARC CHAGALL, PORTRAIT

1924, photographie
© Archives Marc et Ida Chagall, Paris (repr. p. 175)

201 FÉLA LISANT CHARLOT

Vers 1925, photographie
Berne, Bibliothèque nationale suisse, Fonds Blaise Cendrars (repr. p. 173)

202 MARIE VASSILIEFF, PORTRAIT DE CENDRARS

1925, poupée, technique mixte
Berne, Bibliothèque nationale suisse, Fonds Blaise Cendrars

203 LES CHAGALL À BOULOGNE

1926, photographie
© Archives Marc et Ida Chagall, Paris (repr. p. 195)

204 LETTRE DU 2 MARS 1929

De Féla Cendrars, à San Remo, à Chagall
© Archives Marc et Ida Chagall, Paris (repr. p. 84)

205 LETTRE DU 19 AVRIL 1929

De Féla Cendrars, à San Remo, à Chagall
© Archives Marc et Ida Chagall, Paris (repr. p. 85)

206 MARC CHAGALL
MA VIE

Stock, 1931, édition originale en français
© Archives Marc et Ida Chagall, Paris

207 GOGOL
« LES ÂMES MORTES »

Illustré de gravures de Marc Chagall commandées
par Ambroise Vollard, portfolio édité par Tériade en 1948
Collection particulière

208 BLAISE CENDRARS
POUR PRENDRE CONGÉ DES PEINTRES

Extrait collé sur un feuillet, 1926
Berne, Bibliothèque nationale suisse, Fonds Blaise Cendrars

209 L'AMOUR DE L'ART

Revue, n° 5, mai 1926, avec « Les eaux-fortes de Marc Chagall »,
par Philippe Soupault, p. 180 à 184
Nice, Musée national Marc Chagall

2 1 0 CAHIERS D'ART

Revue, n° 7-8, 1927, rubrique « Comment ont-ils passé leurs vacances ? », p. 8
Association des Amis du Musée national Marc Chagall, dépôt à la documentation du musée

2 1 1 L'AMOUR DE L'ART

Revue, n° 8, août 1928, avec « Chagall, peintre juif », par René Schwob, p. 305 à 309
Nice, Musée national Marc Chagall

2 1 2 CAHIERS D'ART

Revue, n° 4, 1928, avec « *Les Fables* de La Fontaine par Chagall », par René Schwob, p. 167
Association des Amis du Musée national Marc Chagall, dépôt à la documentation du musée

2 1 3 SÉLECTION, CHRONIQUE DE LA VIE ARTISTIQUE

Revue, n° VI, 1929, numéro consacré à Marc Chagall
Nice, Musée national Marc Chagall

2 1 4 CAHIERS D'ART

Revue, n° 5, 1929, avec « Chagall et *Les Fables* », par Pierre Courthion, p. 215 à 221
Association des Amis du Musée national Marc Chagall, dépôt à la documentation du musée

2 1 5 CAHIERS D'ART

Revue, n° 7-8, 1931, avec « Note sur une exposition d'œuvres récentes de Chagall », signé C. Z. (Christian Zervos), p. 349
Association des Amis du Musée national Marc Chagall, dépôt à la documentation du musée

2 1 6 CAHIERS D'ART

Revue, n° 1-4, 1934, avec « Eaux-fortes de Chagall pour la Bible », par Jacques Maritain, p. 84 à 92
Association des Amis du Musée national Marc Chagall, dépôt à la documentation du musée

2 1 7 L'AMOUR DE L'ART

Revue, n° 3, mars 1934, avec « En marge du réel », par Germain Bazin, p. 321 à 324
Nice, Musée national Marc Chagall

2 1 8 CAHIERS D'ART

Revue, n° 1-4, 1935, avec « Enquête sur l'art d'aujourd'hui, avec Marc Chagall », p. 40, et six reproductions de tableaux de Chagall
Association des Amis du Musée national Marc Chagall, dépôt à la documentation du musée

Marc, Bella et Ida Chagall à Berlin en calèche, 1923, photographie
 (cat. 194)

Les Chagall à Boulogne, 1926, photographie
 (cat. 203)

Liste des œuvres et documents exposés au Musée national, Pablo Picasso, la Guerre et la Paix, Vallauris

Les numéros de pages indiqués en fin de chaque notice renvoient aux œuvres et documents reproduits dans le catalogue.

Liste des œuvres

219 Pablo Picasso
JEUNE GARÇON NU
Automne 1906
Huile sur toile, 67 x 43 cm
Paris, Musée national Picasso

220 Pablo Picasso
MARINS EN BORDÉE
Hiver 1906-1907
Huile sur bois, 17,6 x 13,5 cm
Paris, Musée national Picasso (repr. p. 135)

221 Pablo Picasso
ÉTUDE POUR « NU DEBOUT »
Début 1908
Mine de plomb, 65,3 x 50 cm
Paris, Musée national Picasso (repr. p. 136)

222 Pablo Picasso
ÉTUDE POUR « TROIS FEMMES », NU DEBOUT DE PROFIL
Printemps 1908
Mine de plomb, 32,6 x 24,9 cm
Paris, Musée national Picasso (repr. p. 137)

223 Pablo Picasso
ÉTUDE POUR « TROIS FEMMES », LES TROIS NUS
Printemps 1908
Encre bleue, 24 x 32,2 cm
Paris, Musée national Picasso (repr. p. 138)

224 Pablo Picasso
ÉTUDE POUR « TROIS FEMMES », LES TROIS NUS
Printemps 1908
Encre bleue, gouache, 30,8 x 23,6 cm
Paris, Musée national Picasso (repr. p. 139)

225 Pablo Picasso
ÉTUDE POUR « TROIS FEMMES », LES TROIS NUS
Printemps 1908
Encre violette, fusain, gouache, 31 x 24,5 cm
Paris, Musée national Picasso (repr. p. 139)

226 Pablo Picasso
FEMME NUE AU BRAS LEVÉ
Début 1909
Lavis, plume (dessin), 23,8 x 31,8 cm
Paris, Musée national Picasso (repr. p. 140)

227 Pablo Picasso
LE BOCK
1909
Huile sur toile, 81 x 65,5 cm
Lille-Métropole, Villeneuve-d'Ascq, musée d'Art moderne, donation de Geneviève et Jean Masurel, 1979 (repr. p. 141)

228 Pablo Picasso
LES ALLUMETTES
1911
Huile sur toile, 16 x 24 cm
Paris, Centre Georges Pompidou, Musée national d'Art moderne/Centre de création industrielle,
donation Louise et Michel Leiris, 1984 (repr. p. 142)

229 Pablo Picasso
NATURE MORTE
Printemps 1912
Encre brune, mine de plomb, plume (dessin), 20,8 x 20,8 cm
Paris, Musée national Picasso (repr. p. 143)

230 Pablo Picasso
VIOLON, VERRE ET BOUTEILLE
1912-1913
Fusain et gouache sur papier, 50 x 64,5 cm
Paris, Centre Georges Pompidou, Musée national d'Art moderne/Centre de création industrielle,
donation Marie Cuttoli, 1963 (repr. p. 144)

231 Pablo Picasso
Le Violon/Nature morte
1914
Huile sur toile, 81 x 75 cm
Paris, Centre Georges Pompidou, Musée national d'Art moderne/Centre de création industrielle, don Raoul La Roche, 1952 (repr. p. 145)

232 Pablo Picasso
La Bouteille de Bass
1914
Crayon, fusain et aquarelle sur papier, 61 x 48 cm
Paris, Centre Georges Pompidou, Musée national d'Art moderne/Centre de création industrielle, donation de Marie Cuttoli, 1963 (repr. p. 147)

233 Pablo Picasso
Cheval et son dresseur
23 novembre 1920
Mine de plomb, 21 x 27,5 cm
Paris, Musée national Picasso (repr. p. 148)

234 Pablo Picasso
Cheval et son dresseur
23 novembre 1920
Mine de plomb, 21,2 x 27,1 cm
Paris, Musée national Picasso (repr. p. 149)

235 Pablo Picasso
Le Chef-d'Œuvre inconnu
1927, tiré de l'édition de 1931
Eau-forte IV, 19,4 x 28 cm
Paris, Musée national Picasso (repr. p. 150)

236 Pablo Picasso
Le Chef-d'Œuvre inconnu
1927, tiré de l'édition de 1931
Eau-forte X, 27,8 x 19,4 cm
Paris, Musée national Picasso (repr. p. 151)

237 Pablo Picasso
Le Chef-d'Œuvre inconnu
1927, tiré de l'édition de 1931
Eau-forte IX, 19,4 x 27,6 cm
Paris, Musée national Picasso (repr. p. 152)

238 Pablo Picasso
Le Chef-d'Œuvre inconnu
1927, tiré de l'édition de 1931
Eau-forte VII, 19,4 x 27,8 cm
Paris, Musée national Picasso (repr. p. 153)

239 Pablo Picasso
Le Chef-d'Œuvre inconnu
1927, tiré de l'édition de 1931
Eau-forte XII, 19,4 x 27,9 cm
Paris, Musée national Picasso (repr. p. 154)

240 Pablo Picasso
Le Chef-d'Œuvre inconnu
1927, tiré de l'édition de 1931
Eau-forte VIII, 19,5 x 27,7 cm
Paris, Musée national Picasso (repr. p. 155)

241 Pablo Picasso
Le Chef-d'Œuvre inconnu
1927, tiré de l'édition de 1931
Eau-forte XI, 27,8 x 19,4 cm
Paris, Musée national Picasso (repr. p. 156)

242 Pablo Picasso
Le Chef-d'Œuvre inconnu
1927, tiré de l'édition de 1931
Eau-forte VI, 19,4 x 27,8 cm
Paris, Musée national Picasso (repr. p. 157)

243 Pablo Picasso
Le Chef-d'Œuvre inconnu
1927, tiré de l'édition de 1931
Eau-forte XIII, 27,9 x 19,3 cm
Paris, Musée national Picasso (repr. p. 158)

244 Pablo Picasso
Le Chef-d'Œuvre inconnu (PO37)
1927, tiré de l'édition de 1931
Eau-forte I, 19,2 x 27,9 cm
Paris, Musée national Picasso (repr. p. 159)

245 Pablo Picasso
Le Chef-d'Œuvre inconnu
1927, tiré de l'édition de 1931
Eau-forte II, 19,2 x 27,8 cm
Paris, Musée national Picasso (repr. p. 159)

246 PABLO PICASSO
LE CHEF-D'ŒUVRE INCONNU

1927, tiré de l'édition de 1931
Eau-forte III, 19,4 x 27,8 cm
Paris, Musée national Picasso (repr. p. 160)

247 PABLO PICASSO
LE CHEF-D'ŒUVRE INCONNU

1927, tiré de l'édition de 1931
Eau-forte V, 19,7 x 27,9 cm
Paris, Musée national Picasso (repr. p. 161)

248 MARIE VASSILIEFF
PICASSO ET BLAISE CENDRARS
« LA DANSE »

1921
Crayon sur papier, 22,7 x 31 cm
Collection particulière

Liste des documents

249 LETTRE DE JUILLET 1914, D'APOLLINAIRE À PICASSO

envoyée de Munich, à propos du « Fantômas » de Cendrars
Archives Picasso

250 LETTRE DU 24 AVRIL 1915, DE PICASSO À APOLLINAIRE

avec une main bleu, blanc, rouge
Archives Picasso

251 LETTRE DU 30 AVRIL 1918, DE CENDRARS À PICASSO

sur papier à en-tête des Éditions de la Sirène, adressée à Montrouge
Archives Picasso

252 LA ROSE ROUGE, REVUE, N° 3, 15 MAI 1919

avec l'article de Cendrars « Le cube s'effrite... »
Berne, Bibliothèque nationale suisse, Archives littéraires suisses, Fonds Blaise Cendrars

253 LA ROSE ROUGE, REVUE, N° 5, 29 MAI 1919

avec l'article de Cendrars « Modernités : Picasso »
Berne, Bibliothèque nationale suisse, Archives littéraires suisses, Fonds Blaise Cendrars

254 CENDRARS AU TREMBLAY-SUR-MAULDRE AVEC LA CHIENNE VOLGA ET LES CHATS CHICHOURLE ET GRAIN D'ORGE

1924-1934
Photographie
Berne, Bibliothèque nationale suisse, fonds Blaise Cendrars (repr. p. 162)

255 PICASSO DANS SON ATELIER AU TREMBLAY-SUR-MAULDRE

Fin janvier 1937
Photographie
Paris, Musée national Picasso

256 PICASSO ET MAYA AU TREMBLAY-SUR-MAULDRE

Printemps 1937
Photographie
Paris, Musée national Picasso

257 RÉPONSE DE CENDRARS À L'ENQUÊTE SUR PICASSO, LE FIGARO LITTÉRAIRE

11 juin 1955, 2 coupures de presse
Berne, Bibliothèque nationale suisse, Archives littéraires suisses, Fonds Blaise Cendrars

Crédits photographiques

France

© Collection particulière : cat. 13, 23, 42, 55, 85, 86, 87, 89, 90, 92, 93, 94, 95, 96, 97, 98, 99, 100, 101, 106, 108, 111, 112, 113, 116, 117, 118, 119, 120, 121, 122, 124, 125, 126, 127, 128, 129, 130, 131, 132, 133, 134, 135, 136, 137, 138, 142, 144, 145, 146, 147, 148, 149, 150, 151, 152, 153, 154, 155, 156, 157, 158, 159, 160, 161, 162, 163, 164, 165, 166, 167, 168, 169.
© Collection particulière/courtesy galerie Louis Carré et Cie : cat. 25.
© Miriam Cendrars/ © photo : Yves Tribes : fig. 1 p. 163, fig. 2 et 3 p. 164.
© Biot, Musée national Fernand Léger : fig. 3 p. 16, 63, 64 ; © RMN / Gérard Blot : cat. 3, 17, 18, 19, 20, 21, 22, 26, 30 ; © RMN / Hervé Lewandowski : cat. 12.
© Musée de Grenoble : cat. 8.
© Lille-Métropole, Villeneuve-d'Ascq, musée d'Art moderne : cat. 16 ; © Succession Picasso 2009 : cat. 227.
© Musée de Lodève : cat. 29.

Paris :
© akg-images : fig. 1 p. 69, fig. 4 p. 72, fig. p. 166, fig. 2 p. 169.
© Archives Marc et Ida Chagall : cat. 175, 178, 179, 180, 181, lettre p. 83, 182, 184, 185, 186, 187, 194, 195, 197, 198, 199, 200, 203, 204, 205.
© Succession Picasso, 2009 / Archives musée Picasso, cliché RMN / Thierry Le Mage : fig. 11 p. 171.
© Collection Claude Bernès, Paris : cat. 38.
p. 14, fig. 4 p. 17, p. 24 reproduits dans Georges Bauquier, *Fernand Léger. Vivre dans le vrai*, Paris, Maeght, 1987, © droits réservés.
Centre Pompidou, Musée national d'art moderne/Centre de Création industrielle, Bibliothèque Kandinsky : fig. 1 p. 15, cat. 43, 58, 59.
© Photo CNAC/MNAM, Dist. RMN / Christien Bahier / Philippe Migeat : fig. 3 p. 29 ; © Jacques Faujour : fig. 1 p. 27, cat. 1, 11 ; © Hervé Lewandowski : cat. 4, 6, 7 ; © Philippe Migeat : cat. 84, 91, 102, 103, 104, 109, 114, 123, 139, 140, 141, 143, 170, 171, 172 ; © Jean-François Tomasian : cat. 15, fig. 3 p. 71, 107, 110, 115.
© Succession Picasso 2009 / Clichés CNAC/MNAM, Dist. RMN / Philippe Migeat : 228, fig. p. 146 ; © RMN / droits réservés : 230, 231, 232.
© Succession Picasso, 2009 / Musée national Picasso, clichés RMN / Michèle Bellot : fig. 1 p. 127, fig. 1 et 3 p. 148, fig. 5 p. 149, cat. 234 ; © RMN / Jean-Gilles Berizzi : fig. 6 p. 149, cat. 235, 236, 237, 238, 239, 240, 241, 242, 243, 244, 245, 246, 247 ; © RMN / Béatrice Hatala : fig. 3 p. 132 ; © RMN / Thierry Le Mage : fig. 2 p. 130, cat. 221, 222, 223, 224, 225, 226, 229 ; © RMN / René-Gabriel Ojéda : cat. 233 ; © RMN / Franck Raux : cat. 220.
© RMN / droits réservés : fig. 3 p. 169, fig. 2 et 3 p. 176.
© Musée d'Art moderne / Roger Viollet © ADAGP : p. 39.
© Roger Viollet : première de couverture.

Suisse

© Bâle, Igor Stravinsky collection, Paul Sucher Fondation : fig. p. 126.
© Berne, Kunstmuseum : fig. 2 p. 27.
© Bibliothèque nationale suisse, Fonds Blaise Cendrars / © Miriam Cendrars : cat. 48, 49, 50, 74, 82, 201, 254 ; fig. 8 p.170 .
© Fondation Beyeler, Riehen / Basel : cat. 10, 14.

États-Unis

© 2009. The Museum of Modern Art, New York / Scala, Florence : fig. 2 p. 71.

Droits réservés : cat. 33, 36, 40, 41, 44, 51, 52 p. 45-47, 71, 78, 79, 82 ; fig. 2 p. 16.

Chef du département Livre, Image, Jeunesse
Catherine Marquet

Responsable d'édition
Véronique Leleu avec le concours de Maude Artarit

Préparation et relecture des textes
Sylvie Bellu

Iconographie
Consuelo Crulci

Conception graphique de la couverture et mise en pages
Grégoire Gardette Designers

Fabrication
Hugues Charreyron

Photogravure
Bussière, Paris

Ce livre a été achevé d'imprimer en juin 2009 sur les presses de l'imprimerie Aubin,
Ligugé, France

Dépôt légal
Juin 2009
ISBN : 978-2-7118-5628-2
ES 70 5628